Mario Tobino

# La brace dei Biassoli

Einaudi 1967

# La brace dei Biassoli

*Alcune memorie sulla signora Maria,
i Biassoli e Vezzano Ligure*

I.

La chiesa di Vezzano vide mia madre bambina, in essa si sposò, la vide morta la mattina di tiepido sole del 4 ottobre 1947.

La chiesa ha delle panche nere, una fila per le donne, una per gli uomini, dei pilastri, altari chiusi da un sipario grossolano e umido, dove in mezzo al viola c'è disegnata una stinta *M*, che vuol dire *Maria*.

Alla fine della funzione, nel buio della sera, quando dalle bocche contadine, dalle panche semideserte, si alza la voce che accompagna il canto del prete e l'altar maggiore si illumina, in quel momento divenuto sacro, qualche cosa della famiglia, il profumo delle buone speranze, la pace, sembra s'innalzi, dolce e solenne.

Qualche volta da ragazzo frequentai quella chiesa, e poi di nuovo certe domeniche, in quella età che essere timidi è una vergogna e l'orgoglio fa sprofondare ancor più nella timidezza; poi da anziano, quando arrivavo al paese, a casa di mia madre, e mi dicevano che era in chiesa.

Dai Biassoli arrivare alla chiesa è un corto cammino: attraversata la piazzetta, sempre calda di conversari, salivo verso la volta umida di muschio, per l'entrata laterale; richiusa la porta, facevo l'accenno di segnarmi, temendo che le contadine si voltassero e dispiacesse loro scoprire poca fede nel figlio della signora Maria.

Distinguevo subito il bianco dei capelli di mia madre, nella prima panca a sinistra, che, subito avvertita, si alzava, mi sorrideva, e il cuore, qualsiasi cosa avessi fatto, mi si rifaceva innocente.

Non so se ho avuto molti favori, quello della madre sí: intenderci senza parlare, non covare il piú lontano dei dubbi, vederla come la bellezza che non ha il peso della carne, per lei esser sicuro della esistenza dell'anima.

Mia madre abbandonava le preghiere e veniva verso di me. I miei fratelli qualche volta, motteggiando, ci dicevano fidanzati.

Insieme si usciva. Il paese si velava di sera, i suoni, i battiti, le voci, ogni gesto di chi si incontrava sembrava legato a una eternità; come in un presepio non esisteva ricchezza o povertà.

Passando dai giardini dei Biassoli ogni volta mi ricordavo, mentre tentavo di parlare d'altro, quanto mia madre amasse i fiori; in quella terra poco favorevole li coltivava senza venir meno a una cura, anche se molti, svogliati da quel clima, diniegavano il capo. Con la coda dell'occhio, tra le ombre, scoprivo le aiuole piú fortunate, inciampavo nel tubo dell'acqua, ancora fresco del suo lavoro.

Si entrava in casa; il primo era don Filiberto, a guardarmi dal ritratto; già quella prima stanza mi richiamava tutta l'infanzia, la Clementina, la zia Virginia, la storia della zia Anna; mi voltavo, per sfuggire, verso la finestra, e da quella sorgevano Andrin, la Francesca, le serate nella loro cucina, nera e calda di fuliggine; intanto continuavo a parlare a mia madre; le nostre parole battevano per le pareti.

Si arrivava alla parte opposta della casa, quella che guarda il luccicante snodarsi della Magra; aprivo la finestra, ascoltavo piú che vedevo il brulichio di luci, lucciole della campagna, il viola della sera. Un'ombra piú densa, la pallida cera di una casa, la cupezza di un bosco, mi raffigurava tutto il paesaggio. Se graziosa la luna alta splendeva, la collina era indorata, la Magra un'anguilla d'argento.

Mia madre intanto dava qualche ordine alle contadine per la venuta del figlio. Io mi voltavo alle pareti dove i ritratti del signor Ippolito, della zia Virginia, dello zio Alfeo, di mia nonna, mi guardavano, persone da me sconosciute, udite da mia madre, per questo piú amate, piú sacre, piú leggendarie, piú pure, come lei di loro mi avesse filtrato soltanto i piú puri segreti; e nella commozione, dove i pensieri si abbracciavano ai sentimenti, quasi duro e ingombrante, mi nasceva il desiderio di ripartire, tornare in quella città che abitavo, in quella stanza che mi era capitato occupare, per mettermi a lavorare, descrivere quelle memorie, essere degno di loro.

Veniva l'ora della cena; il vino bianco di Corongiola scioglieva nelle parole l'affettuoso tumulto. Mi mettevo a parlare, laceravo i ricordi che da bambino mi si erano impressi come uno stampo di fuoco. Le immagini, lontane e precise, mi sorgevano con gioia e insieme dolore, ero avvolto e vinto dal piacere della verità, spietatamente rivivevo ciò che era stato.

Mia madre, facile all'ansia, invece mi ascoltava sorridente, cauta soltanto a non spronarmi, pazientava le descrizioni dolorose, già preparata, di me conoscitrice, e soltanto avrebbe dolcemente interrotto se mi fosse capitato di aggiungere alla rappresentazione qualche ingeneroso commento.

## II.

I Biassoli erano vecchi e minati. Da tanto tempo, di padre in figlio, erano in quella casa. Su troppe primavere, troppi autunni, troppe estati, troppi inverni, avevano meditato, ugualmente sporgendosi a quelle finestre dove in fondo la Magra, proveniente da maestosi monti, luccicava, oppure era gonfia e gialla come un drago melmoso.

Il nibbio dell'ultima generazione fu Patrizi, l'unico medico del paese. Faceva anche delle doppiette come con le figlie della zia Anna, la Pulcheria e l'Euterpe, prese nel nido, tiepide di giovinezza.

Calò su Alfeo, ultimo maschio, dal volto cosí bello, consapevolmente lucido di malinconia.

Con monotona amministrazione si portò via gli anziani, per nulla ancora vecchi, passati appena i cinquant'anni.

La zia Anna soltanto testimoniò l'antica forza, fusto nodoso e leggero.

Il dottor Patrizi ripetutamente sfiorò mia madre.

Ogni volta che Patrizi veniva dai Biassoli un lucignolo soffocava, stridendo un sibilo come fanno gli uccellini acquattati, la notturna civetta li serra.

Era un medico già anziano, svelto di statura, con qualche luce di pazzia nel volto, uno che intende soltanto le cose piú grame, completamente ignota la fan-

tasia, sordo all'intessuta trama di considerazioni e a-
mori.

Io l'ho visto da bambino, aveva la pelle arida, di sa-
lamandra, forforacea, due occhi giallini che fuggivano
non per paura ma perché l'assenza di pensieri a ogni
secondo li sgambettava.

Lo ascoltai quella volta della spagnola, l'epidemia
del dopoguerra, e mia madre si era ammalata a Vezzano; mio padre lontano.

Forse Patrizi, oscuramente, si sentí tornato ai bei
tempi: mia madre era l'ultima, era giusto desse lui l'ultimo tocco, fosse testimone all'ultimo rintocco.

Me lo ricordo vicino al comò, quel mobile coi casset-
ti, lo specchio variegato nei margini da bolle di fiori
pallidi. Ascoltai le sue parole.

Mia madre una povera donna, raggomitolata nel tepore delle lenzuola, ad attendere quella sentenza, già
ascoltata per gli altri Biassoli.

Patrizi disse: – Non muore –. Mormorò con una cer-
ta repulsione, un indugio che irrita: – Non muore.

Prima di andar via precisò: – Questa volta non muore, – quasi il gatto col topo, che lo lascia correre, sicu-
ramente lo ripiglierà.

Mia madre diverse volte, dopo, credendo che non
avessi ascoltato, non mi si fosse inciso nella cera quel
disco, mi ripeté quelle parole e le raffrontava col passato, quando ogni volta, spauracchio infreddolito, Patrizi aveva detto ai Biassoli ancora in piedi che si pre-
parassero a trovar freddo il congiunto.

E due o tre anni dopo, l'epidemia estinta, a settembre, come al solito, si era di nuovo a Vezzano.

Ogni tanto anch'io andavo dal parrucchiere piú vicino, che aveva il negozio nella « piazza », presso la casa che fu una volta della zia Lisetta.

Avevo forse dieci o undici anni.

Dopo essere stato pazientemente seduto, avevo pagato il barbiere che aveva fatto il suo lavoro. Tutto si era svolto in silenzio.

Fu il tempo di uscire e rifui nella sassosa piazza, strettamente contornata dai muri.

Ero già nel mezzo di questa quando il barbiere, chiusa la bottega, mi raggiunse, insieme a un suo amico che seduto su una poltrona aveva aspettato che finisse, e, mentre prima non aveva osato interrogare il signorino cliente, ora si sentí libero e mi disse, forse l'amico che l'attendeva nel frattempo avendolo stimolato:

— Ma lei, è il figlio della signora Maria?

Io feci timidamente segno di sí.

Lui subito, come solo questo avesse elaborato mentre mi tagliava maldestramente i capelli, pronunciò rapidamente:

— Lei è un Biassoli! Muoiono tutti presto. È troppo se arrivano a cinquant'anni.

Non trovai da rispondere nulla. I due si allontanarono con la fierezza di chi ha fatto ciò che doveva.

Camminai, nell'ombra della sera, quei passi, sotto San Michele, che mi separavano da casa.

Trovai mia madre già a tavola con i miei fratelli.

Mentre mangiavo, ogni tanto correvo lo sguardo sul suo volto. Sorrideva lieta, parlava con quella voce tersa e inflessibile.

Come un'onda che rincorre un'altra onda sulla riva, e ce n'è di piú grosse, una frotta di piccole, una piú grande che minaccia la rena, avevo una grande voglia, tra il pianto che mi gonfiava il cuore, un gran desiderio di domandarle quanti anni avesse.

III.

La zia Anna era alta e forte, agile e testarda come una capra di montagna. Non ho osato mai domandare chi era suo marito, mia madre mai ne accennò, nessuno mai della famiglia pronunciò su di lui parola. Ripetutamente invece ci fu il racconto delle due sue figlie morte giovani, la Euterpe e la Pulcheria, questa nominata con piú nostalgia, forse perché di bellezza piú dolce, forse perché rapita sul punto di fidanzarsi.

Raccontava mia madre che la notte, nella casa vuota (il marito già scomparso da anonimo tempo) udivano la zia Anna chiamare le figlie, la udivano dal piano di sopra, prima essa nominava parole poco alte, quasi usualmente conversasse, desse consigli, facesse loro raccomandazioni; silenzi si intervallavano; all'improvviso c'era la salita dei nomi, alti, gridati, seguiti dal silenzio piú vuoto, e poi, presto, le imprecazioni, perché le figlie non rispondevano.

Dal piano di sopra seguivano il mormorio delle prime parole, immaginavano la zia Anna che si rivolgeva alle figlie come di consueto girassero per la casa; a volte i discorsi erano lunghissimi, qua e là arrivava nel silenzio della notte qualche parola, mai un pianto o un lamento, e, quando la voce gridava, di sopra immaginavano, quasi vedevano, il volto della zia Anna, gli occhi verdi infuriati, le adunche mani che afferravano il vuoto.

La casa dei Biassoli ha, a causa della natura dove è collocata, ripidissime scale incavate nella collina, passaggi da orti, dal Monticello, sentieri incisi, diverticoli, tetti su tetti, cantine; uno dei passaggi per entrar nella casa, chiamato « sotto la volta », era incastrato, sotto quel semicerchio, tra mura e mura, semibuio di giorno, di notte tenebra. In questo, sulla destra, una finestrella, sbarrata da croci di ferro, e lí vicino una porta, eternamente chiusa, che messa su senza esser dipinta, cosí era rimasta, abbandonata ed esangue.

Quando passavo « sotto la volta », turbato gettavo rapidi gli occhi bambineschi in quella finestrella sempre buia, oltre la quale sapevo esserci una cucina. Una sera la vidi illuminata e vidi la zia Anna.

Le fiammelle nel camino cinguettavano, il fumo si ingorgava dentro la stanza come non desiderasse uscire; essa era in piedi, gli occhi troppo aperti e immobili. La vidi di profilo.

Richiamato dalla luce, poiché non arrivavo alla finestrella, mi ero arrampicato, afferrandomi prima al davanzale, aiutandomi per un sasso che sporgeva dal muro, poi stringendo con la mano una delle sbarre.

Me la trovai vicinissima. Sentivo sempre parlare di lei con timore non disgiunto da riverenza, ma appena l'avevo intravista; ora finalmente l'avevo vicino, davanti a me, in quella grande cucina, cosí diversa dalle solite, illuminata per una sponda da un lume a petrolio, che sembrava anch'egli avesse l'occhio fisso, e per l'altro lato dalle lingue di fuoco del camino, deserta in tutto il resto.

Afferrai con l'altra mano la successiva sbarra e infilai il viso nel quadrato di ferro. Il volto di lei era rimasto immobile come fosse in un sepolcro d'Egitto.

Ero per chiamarla, per dirle: « Zia Anna! »

Inaspettatamente rapidissimo il volto della zia si girò verso di me; si era dipinto d'ira, una fiammella verde negli occhi. Mi gridò: – Va' via.

Sentii in quelle parole profonda accoratezza, pianto, invocazione, come le sue figlie le avessero gridato di no, di non abbracciarmi.

Sospettai che la zia Anna avesse ascoltato il mio tramestio per arrivare alla finestrella, da molte sere mi aspettasse.

Scesi giú, dopo averla ancora guardata; subito pensai che non dovevo dire nulla a mia madre. Salii le ripidissime scale che portavano alla nostra parte di casa.

E infatti la zia Anna non salutava mia madre, che invece ogni volta, al suo passaggio, con la sua voce trasparente, cosí densa di umiltà e disinteresse, le faceva omaggio; né la zia Anna degnava noi di un qualche riconoscimento, noi, i figli della signora Maria (che non eravamo dei Biassoli).

Fu in quella cucina, nel nero camino, che volò la biblioteca dei Biassoli; fu per odio contro l'intruso mio padre, contro il suo sangue, che invece di coltivare ricordi costruiva nei suoi figli la vita.

Quando avvennero le morti, in dipendenza delle quali trapassa la proprietà, avvenne che la zia Anna desiderò il piano piú basso, che già abitava. In questo piano c'era la biblioteca. Nessuno osò distinguere, fare eccezione tra muri e libri.

Tacitamente, poiché i libri erano tra quei muri, anch'essi furono suoi.

Essa non leggeva che libri di chiesa. Nei Biassoli solo gli uomini curavano le scritture.

Lasciò i libri intatti per alcuni anni. La libreria era in una stanza asciutta, dove prima c'era la Cappella.

Mia madre sposò. Ancora non accadde nulla.

19

Dopo che morí Alfeo, l'ultimo dei Biassoli, e mia madre fu intenta ai suoi piccoli bambini, cominciò l'incendio.

Un solo mese dell'anno, e tra i giorni di questo mese particolarmente il sabato, quando mio padre, chiusa la farmacia, veniva a Vezzano, c'era l'appicco delle faville.

Mio padre, saputo della biblioteca, aveva ingenuamente tentato di salvarla, invece la fece crepitare piú velocemente.

Quando la zia Anna, che con quel nuovo parente tanto meno scambiava parola, seppe che aveva interesse a salvare le scritture, di settembre, mentre eravamo a Vezzano, cominciò.

I Biassoli, dai primi del Cinquecento, avevano preso ad allineare ciò che in segreto amavano. Da padre in figlio la biblioteca si era accresciuta; lo scapolo, sia esso prete o libero, in quella piú precisamente aveva versato l'alacrità dagli altri spesa nei figli.

La zia Anna sospendeva fra le dita la cartapecora, ridendo la gettava tra la brace, e usava questa mossa quando sospettava che mio padre stesse per arrivare, ben sapendo che mio padre non passava dalla porta principale ma, familiarmente, « sotto la volta », cioè davanti alla finestrella, sbarrata di ferro.

Dapprima ci fu il sospetto; una sera mio padre, intravedendo, si soffermò. Lei alzò il libro; gettandolo giú tolse ogni dubbio.

Mia madre sempre la scusò, o col silenzio, o ricordando le due figlie cosí belle, sfiorite nella morte.

Mio padre, anche lui ligure, allora si sfogò a costruire robusti muri, protettori della terra, gettando via quelli dei Biassoli, divenuti fragili ossa trabecolate di pori.

E di giorno la zia Anna taglieggiava i contadini, di loro piú forte anche di fisico, per la spietata invidia che avessero figli vivi.

Ogni mia zia aveva una serva del corpo; la zia Virginia aveva la Clementina; l'Anna aveva la Francesca. Ed era la zia Anna divenuta cosí volgare che, sul punto di partirsi, si gloriava con la sua serva, e andava poi per le terre a strinare quei poveri contadini, come aveva promesso.

Mia madre (da tempo era morto Alfeo, recentemente la zia Virginia), viva soltanto quella zia, le perdonava tutto, ancor piú dolcemente la riveriva, come se ogni sua piú acuta violenza volesse dire piú acerbo dolore.

Io non ho mai visto, esattamente, dentro, finché era viva, la casa della zia Anna; ebbi solo con lei una sera, due anni dopo che mi aveva scacciato dalla finestrella, un breve colloquio.

La casa dei Biassoli è a tre piani; di rado si passava dalla porta di fondo, dalla principale. Volle il caso che una sera di lí, per quegli scalini di ardesia, rosi e umidi da generazioni e dal buio, si cominciasse a salire.

Io, per la fantasia di quelle volte, per le muffe, i colori sdruciti da sonnolente tarme, mi attardai.

Quando fui davanti all'appartamento della zia Anna, la porta si aprí, lei apparve. Subito appena mi vide, si ritirò, per aspettare che mi fossi allontanato.

Davanti alla porta rimasta aperta, curioso di quei sempre chiusi appartamenti della zia, mi fermai e m'incantai a mirare su una consolle un cavallino, cosí agile, sebbene di cartapesta, che pareva spumasse la bava della corsa.

La zia Anna, sentendo ormai i passi alti per le scale,

credette tutti scomparsi e si riaffacciò. Io ero ancora lí per il cavallino.

Per quella tranquillità che hanno i bambini che non badano che ai loro amori, sia pure improvvisi, le dissi:

— Me lo dài il cavallino?

Quella povera donna stese lentamente l'artiglio della sua mano, il braccio mi parve lunghissimo, afferrò la groppa.

Seguivo la lentezza dei suoi atti, in attesa che diventasse mio.

Se lo avvicinò al petto, ve lo strinse. Rimase a guardare nel vuoto come vedesse e parlasse con qualcuno. Poi, come non fosse cosa sua, me lo porse.

Io, con il cavallino stretto tra le braccia, corsi per le scale.

Lei, invece di uscire, tornò dentro e chiuse la porta.

Andai su con il cavallino. Mia madre appena lo vide mi domandò. Risposi che era stata zia Anna.

Cosa successe di commovente! Mia madre, benché fosse ormai sicura, voleva che ripetessi. Altri ancora mi fecero ripetere.

Io, intanto che ripetevo, cominciavo ad avere in uggia anche lo stesso cavallino.

IV.

La zia Virginia era invece mansueta. Me la ricordo da morta, dove imparai il freddo attraverso le labbra, quando mi invitarono a baciarla. La ricordo alla finestra; abbandonava lo sferruzzare, depositava gli occhiali sul piccolo tavolinetto e, la finestra già aperta, si affacciava all'ardesia del davanzale.

La zia Virginia aveva una terra, « la Garana », sotto casa, distante poche centinaia di metri. La Clementina, la fedelissima serva, faceva in quella terra da fattoressa.

Quando il sole splendeva la Clementina si aggirava, pallida sagoma tra gli ulivi, nella terra della sua padrona per sorvegliare e per qualche approvvigionamento.

La zia Virginia allora saliva in piedi, la sua figura si stagliava nella luce del davanzale, si empiva il petto di quell'aria pura e, con canto prolungatissimo, chiamava: – Clementina!!!

La voce ondulava per la campagna, sembrava frangersi con i raggi del sole.

Di laggiú, dopo che l'eco si era allontanata, echeggiava un – Uh!!! – di risposta, lungo e confidenziale.

La zia Virginia di nuovo si riempiva i polmoni. Alzava il volto verso il cielo, eroico-innocente atteggiamento di zitella. L'ugola agile, il petto colmo di ossigeno, la campagna anfiteatro, essa faceva volare una

fuga di parole che chiedevano la piú insignificante risposta.

La fedele serva di laggiú, con uguale ritmo, rispondeva. La valle accoglieva le modulazioni, ambedue le
donne la voce bellissima.

La zia Virginia si rimetteva a sferruzzare.

Ripetutamente io assistetti a questa scena, e mi sorgevano interrogazioni: se era giusto la zia Virginia cosí impudicamente parlasse nel cielo, se la campagna
non sorridesse motteggiatrice, perché quelli del paese non mostravano stupore a quel cantato dialogo.

La zia Virginia era a quel tempo ormai in abbandono
infantile, in una tenerezza inconsapevole, che poi si ad-
dormenta nella morte. Aveva perso quella capacità di
amare cosí fresca al tempo di Alfeo, al tempo della
cambiale, ancora vivo il signor Virginio.

Mia madre poi, la zia Virginia da anni morta, descriveva sempre di lei il precedente periodo, quasi desiderasse non riflettessimo su questo ultimo, che sospettava qualcuno di noi avesse intravisto.

Quando la zia Virginia era giovane, un giovanotto
che si chiamava col suo stesso nome, cioè Virginio, l'a-
veva chiesta in isposa, ma tutto si era rotto per la quan-
tità della dote. Il padre di Virginia non voleva dare che
quei campi, Virginio ne voleva di piú e, testardo, s'im-
puntò. Anche il padre della Virginia, ugualmente testardo, non cedette. Il matrimonio non si fece. Poteva
sembrare che Virginio, che era un piccolo possidente,
avesse ubbidito solo al denaro, e invece non si sposò
mai benché alcune ragazze ricche lo desiderassero.

Ogni mattina, dal giorno del mancato fidanzamento,
alla stessa ora, Virginio passava sotto le finestre della Virginia, sotto la casa dei Biassoli. Ogni mattina,
quando l'ora solita si avvicinava, la Virginia apriva la

finestra e non si affacciava, stava invece in piedi, accostata al muro, in modo che di fuori non la vedessero. Virginio si avvicinava provenendo dalla mulattiera di destra, che era in leggera discesa, e il bastone ferrato, che era solito portare, batteva, ancora distante, con la punta sulle pietre come a chiamarla, che era venuto anche quella mattina, che a lei pensava anche quella mattina. La Virginia, attaccata al muro, lo udiva. Quando era proprio sotto la finestra, Virginio batteva di nuovo il bastone sulle pietre e quel ferro, incontrando il sasso, parlava ogni volta imperativo e sempre d'amore. Virginio si allontanava per l'altra mulattiera senza alzare la testa.

La Virginia ogni mattina ascoltava in tumulto ogni suono con un misto di gioia, di paura e di amata schiavitú, ascoltava come una collegiale il passo di Virginio allontanarsi e quando era sparito le nasceva una punta di pianto, subito rinchiuso, ché presto si ripresentava agli altri familiari (come se questi non ne sapessero niente) con il rossore e l'animazione nel volto.

Mia madre aggiungeva che forse una volta soltanto, la mattina del suo sposalizio, la Virginia aveva osato affacciarsi, mentre tutti erano in chiesa e lei era rimasta a dirigere le contadine per il pranzo di nozze. Quella mattina, per la febbre degli avvenimenti e per la solitudine, aveva osato, dopo venti anni, sporgersi alla finestra mentre Virginio passava e l'aveva visto, il volto disperato, divenuto corpulento e cupo, e la Virginia, subito ritiratasi, aveva pianto buttata sul letto, e i singhiozzi erano seguiti ai singhiozzi. E poi toltesi le lacrime, che potevano anche essere derivate dalla commozione per lo sposalizio della giovanissima nipote, credendo di non essere stata vista, era ritornata in cucina a guidare le volenterose ma poco abili contadine.

Io mi ricordo invece la zia Virginia nel suo ultimo periodo e da morta. La portarono al cimitero alle prime ombre. Il Monticello era colmo di figure scure. La cassa dove era rinchiusa traballava. Era il primo trasporto che vedevo; lo seguii dall'alto. La cassa ballonzolò per le scale, lentamente in certi punti erigendosi quasi verticale, voltolò nelle strette curve, gravando sopra un mormorio di voci soffocate.

Poi, affacciato alla finestra, la vidi nel Monticello. Plumbee sagome di persone le fecero posto. I davanzali delle case, che come braccia circondano la piazzetta, erano zeppi di busti che sporgevano.

## V.

Lentamente si aggirava meditando, in quella piazzetta del Monticello, quasi sempre deserta, una donna
di nome Franciò. Era in sé pettoruta; nel corpetto aveva infilato un lungo ago da calza, contrasto a quello che
porgeva la lana; di continuo sferruzzava, accompagnamento dei suoi pensieri.

La Franciò aveva in affitto un piccolo stabbio, al lato della casa dei Biassoli, dove metteva le pecore, quasi
unica sua sostanza.

Benché prestissimo vedova e senza figli, modestissi-
me le sue condizioni, mai si era lamentata, né mai ne
ebbe il proposito; lo spettacolo che intorno le pullula-
va era per lei cosí intenso che le dava una sorta di felicità e, certamente, non le rimaneva un tempuscolo per
la noia; sembrava che qualcuno le avesse affidato un
insostituibile compito, al quale lei tutta si dedicava:
quello di distinguere, catalogare, classificare coloro nati verso la sorgente della Magra, i paesani che abitavano al di là del Monticello.

Viveva in due stanzette, scialbe quanto mai, un letto e pochissime altre cose; possedeva anche pochi metri di terra e un triangolo di bosco, inavvertito rimasu-
glio di qualche grossa proprietà chissà per quale benevolenza giunta nelle sue mani.

Era una donna alta, e si sospettava che soltanto ora,
in vecchiaia, fosse divenuta bella, o per lo meno di

27

quella austerità che dà un'aureola di rispetto; in gioventú doveva essere stata chiusa e scostante da non lasciar indovinare che sotto quelle robuste e accollatissime vesti c'erano delle morbidezze. Da vecchia aveva un personale snello e vigoroso che, ora, il volto non piú armato, le vesti lasciavan capire.

Cosí, sola, nella piazzetta, china a sferruzzare, a seguire i fili dei suoi pensieri, quando passava qualcuno c'era scambio di voce, un saluto, ma quei ricambiati mormorii non significavano distrazione dal suo meditare, erano un accompagnamento, un suono, come lo sferruzzare, soltanto un'affabile e sotterranea eco al mondo che stava trattando, al ripensare, aggiungere particolari, far sempre piú pulito.

Per lei la morte era una pausa, una contemplata interruzione, sarebbe poi naturalmente accaduto rivederci, ognuno allora conoscitore dei suoi torti, consapevole l'uno dell'altro, liberi tutti da povertà e ricchezza, leggeri da ogni ingombro, sciolti dalla prova che il destino aveva affidato. Per lei anche i Biassoli morti erano vivi, ci pensava e parlava come tali, non come persone che mai piú si vedranno. Aveva inflessibile questa convinzione e mai, neppure nel dormiveglia, le venne da dubitare.

La Franciò non dava confidenza; la sua alterezza era certo aiutata da una salute di ferro; sapeva di ognuno di Vezzano Basso e non per averlo accattato con pettegolezzo e tanto meno con cattiveria ma per averlo acquistato col giudizio, osservando sempre piú acutamente. Il Monticello, la piazzetta, era la dogana di sua assoluta proprietà, di lí passavano coloro che a lei interessavano, quelli nati con la finestra verso la sorgente della Magra, a quei monti che, uguali a bocche, parevano aver generato il mondo.

Conservò i capelli neri che aveva settanta anni, quasi in tal modo fosse sicura che neppure il colore osava contrastarla.

Con mia madre avrebbe potuto elencare lucidissimi ritratti e ogni anno, nel dopopranzo che portava il pagamento dell'affitto, tentava di esporre i suoi risultati, mettere alla prova le sue somme.

A mia madre sembrava peccato pronunciare inutili giudizi e affrettava il dialogo, quasi lo troncava. E la Franciò presto si trovava fuori; se non che per nulla ne era avvilita, poiché anche nel rapido scambio di parole ogni volta indovinava che anche la signora Maria era attentissima, aveva all'incirca gli stessi suoi pensieri, concordavano le conclusioni, non era dunque vana la sua dedizione, quello il suo compito, giusta la via che percorreva.

E la Franciò, nella veemenza di tutto il busto, negli occhi diritti, nel taglio della bocca, serrata come un catenaccio, dava la riprova di questa sicurezza.

Le altre vecchie avevano i capelli bianchi lucidati di pallido viola per l'olio d'oliva, l'espressione del viso, dopo tanto cammino, era ritornata infante, le spalle tonde come botticelle di poco vino, le mani magre e macchiate di bruno, vaghe nel prillare il fuso.

La Franciò solitaria, fino al giorno della morte, a sistemare, con assoluta giustizia, il suo territorio, coloro nati verso la sorgente della Magra.

VI.

Il paese di Vezzano Ligure è diviso in Basso e Alto, in tutto duemila anime, mille e duecento nel Basso, ottocento nell'Alto; ma le due frazioni sono divise come contrastanti stati, ognuno la sua nobiltà, le tradizioni, le leggi, ciascuno la sua fierezza; reciprocamente considerata l'unica.

I Biassoli vivevano nel Basso, che ha panorami strapiombanti.

La collina di Vezzano Ligure è fatta sulla cima a sella. Nella punta ovest poggia l'Alto, in quella est il Basso. La distanza tra i due paesi è poco piú di un chilometro, nel quale sono disseminate le case che si assiepano nel Capitolo, frazione simile a una dogana.

I secoli hanno scavato nel mezzo profondamente.

Il paesaggio che quelli del Basso vedono dalle finestre, e nel quale vivono, è il fiume: i monti lontani, enormi e minacciosi. Grande spazio e asperità della natura.

Per scendere alla Magra partendo dalla casa dei Biassoli la mulattiera scoscende, i sassi lavati e rosi dalle piogge, e a un certo punto è talmente ripida che, sotto i piedi, tra le foglie del bosco, s'intravede il fiume come un coccodrillo che aspetta.

Quelli del Basso hanno la Magra per dominio e lotta; ogni frutto costa sudore; fatica implacabile perfino camminare, ogni passo uno scalino, scendere o salire.

Le case, la disposizione, il colore, le strade del Basso sono diverse da quelle dell'Alto; cosí le chiese.

Venendo da Fornola, laggiú in fondo, sulla strada provinciale, la chiesa del Basso è la prima che s'incontra: ha davanti una piazza chiamata « campo », forse per antichissimo dispregio; ha una facciata modesta e il campanile, o sono le suggestioni, ha con l'orologio dal vetro celeste costellato di numeri d'oro un'immagine casalinga, benevola eco di quando l'anima si specchia nelle memorie.

« Il campo » è una piazza rettangolare, da un lato un muro che protegge al solito il franare della terra ligure, dall'altra parte un muretto, alto quanto un bambino, sul quale, specie la domenica, siedono contadini e contadinelli.

Il Basso è tutto rinserrato di sassi; in terra ghiaie, i muri non scialbati e cupi di un colore nerastro, volte che portano ad antri di cantine scavate nella roccia, e, a lampi, da una feritoia, limpida la Magra laggiú al sole si snoda.

Cosí la nobiltà, tra i quali i Biassoli, rinchiusi con i loro contadini, attentissimi all'onore, ed alcuno non osi attentare alla proprietà che è lo stesso dire sangue, famiglia, antenati.

Chiusi nelle case, freddo d'inverno, cibi appena sufficienti, mai abbandoni, il padre autorità infrangibile; la pudicizia gelosa che nemmeno vi si deve da lontano accennare; conoscitori e quasi amanti di quelle leggi della vita che tendono a tingersi del colore funereo.

Con tali feroci abitudini un paese, a quel tempo, ricco: un vestito per le nozze, una gita a Spezia per la fotografia; le spese e le entrate segnate su carta di pecora.

Ma a Fornola, in fondo al monte, scorreva la strada

nazionale, l'Aurelia; fatalmente di lí sarebbe salito uno degli infiniti rigagnoli.

Il primo a essere investito dalla nuova civiltà fu Vezzano Basso, fu « il campo ». Quel carattere aspro a causa della difficoltà della natura si fece insieme piú irsuto e perplesso; era difficile dimenticare d'un colpo, appena ritornati al paese, la sirena operaia.


Dalle finestre di Vezzano Alto invece si vede il mare, il golfo della Spezia, protetto dai monti, che dorme sereno, i bastimenti trastulli di un sogno. La campagna dirada a onde argentea di ulivi, i suoni in essa si cullano. La chiesa, che è in cima, è l'ultima non la prima casa, la meno esposta. Davanti ha un'aia, le ghiaie di color rosa disposte a stella. Una piccola onda bianca la sua facciata, muoversi del velo di un'educanda. Il silenzio dell'aia non c'è ragione si rompa, di mercato non è luogo, né strade tumultuose ci arrivano, le mulattiere unico sentiero, e quanto piú a lei si avvicinano piú acute di fiato.

L'aria è limpidissima; il campanile, di figura normanna, supera appena la facciata.

Da una parte quel paesaggio che s'è detto, dall'altro continuano le case dei contadini, i quali approfittano, al tempo del granturco, per stendere sull'aia della chiesa i gialli tappeti.

La meditazione è ciò che contraddistingue Vezzano Alto, le passioni hanno l'argine del giudizio, non aggiungervi alcun atteggiamento, pronunciarle con le necessarie parole. E la riprova della sua serenità è il Borgo, la strada principale, ampia e incassata, alla quale si arriva dopo aver percorso altre strade già protette. È presso che sempre deserto, qualche vecchia che in un attimo vede e giudica in una memoria secolare.

Sulla bilancia dei paragoni è anche necessario mettere il numero delle anime, ché l'Alto ne ha ottocento, il Basso mille e duecento. Il Basso avventuroso e violento, aperto e ritroso, rivolto al fiume invece che alla città, dalla quale invece è toccato. L'Alto è puro ma cittadino, disposto a presentarsi, scendere giú, senza invidie, privo di bramosie di conquista.

I Biassoli, del Basso, abitavano il Monticello, rivolto come un gufo al fiume. Tra le due nobiltà non vi furono mai contatti. Gli Alti ignoravano i Bassi, questi odiavano i modi degli Alti, considerati fragili, incapaci a battersi con la vita.

Ma naturalmente i vezzanesi, alti e bassi, sono tutt'uno; queste differenze sono soltanto per chi le ama.

VII.

Mia madre, fanciulla, andava spesso a trovare la zia
Lisetta, e insieme si recavano in chiesa, qualche volta
fino alla Cava, distante dal paese cinquecento metri.

La zia Lisetta, religiosissima, aveva commesso un e-
norme peccato: aveva sposato un vedovo, si era presentata al Signore insieme a un uomo che già si era in-
ginocchiato.

Mia madre, vestita alla moda di quel tempo (le sottane lunghissime, il cappello, a rinserrare i folti capelli,
fermato da un sottogola), si partiva, grande avventura,
dalla casa dei Biassoli e arrivava trepidante e confusa, dopo cento metri, alla casa della zia Lisetta, che la
aspettava.

Batteva i due colpi stabiliti. La zia si affacciava alla
finestra. Subito c'era la voce: – Sí! Vengo! – e quel volo di sillabe voleva dire: – Lui non c'è! – Infatti la zia
Lisetta era attenta che la giovane Maria non s'incon-
trasse col marito, il quale andava a lavorare fuori di
Vezzano, in giorni stabiliti. Mia madre mi parlò sempre del vedovo come mai l'avesse conosciuto, mai visto, fuliggine di un camino che si variega di lunghe righe senza delineare figura.

La prima tappa di quel giorno di evasione era la chiesa. Mentre in fretta correvano le ultime preghiere, nella mente già si prospettava la passeggiata alla Cava,
fuori del paese, proprio su quella strada che scenden-

do e svoltando arrivava alla via Nazionale, dove impunemente passava ogni novità.

Durante la passeggiata c'erano conturbanti e vaghissime domande e altrettali risposte; il vedovo, come il diavolo, scompariva e s'imbiancava all'orizzonte, sempre fisso e mai nominato.

Mia madre mi raccontava queste cose quando ero malato, nelle lunghe ore; l'emozione e la febbre approfondivano le immagini; vedevo col batticuore mia madre attraversare *da sola* la piazza, diretta alla porta della zia Lisetta, che, in attesa, già si era affacciata e riaffacciata alla finestra, lo scialletto, di trina o di lana secondo la stagione, già accomodato sulle spalle; e nella piazza, là, seduto su una panchina, vicinissimo, c'era Oscare, lo scapestrato, il parente che era vergogna nominare, col sorriso spavaldo, i capelli scomposti.

Altre ragazze, quando il giovane era comparso nella piazza avevano mormorato: – C'è Oscare! – e poi, insieme alle amiche, dietro le persiane, continuavano a spiarlo: era alto, bello, insensibile alle usuali leggi, aveva trascurato gli studi, aveva presto fatto conoscere le sue inclinazioni.

Egli, per esempio, scompariva per qualche giorno, i familiari di nuovo in allarme, e si presentava un loro contadino a dire che Oscare era entrato nella stalla, aveva messo una cordicella al collo di una mucca e con quella se ne era andato. Il contadino aveva richiesto qualche spiegazione, Oscare non aveva risposto, né si era piú visto.

Ricompariva poi, il volto piú assente e beffardo, vani i rimproveri paterni; il dolore e le preghiere della madre e le sorelle gli provocavano un sorriso lontanamente affettuoso, come una dolce considerazione fatta distrattamente.

35

Giovani contadine l'aspettavano la sera per i campi, non aveva scrupolo per le maritate.

Fittissimi commenti giravano su di lui per il paese, si faceva silenzio nel punto che avrebbe dovuto anche esso essere detto: che queste donne lo amavano, tutto perdonandogli, le une sapendo delle altre, insensibili alle percosse e ingiurie dei familiari, lo aspettavano sperando che ritornasse.

I Biassoli avevano tolto ad Oscare il saluto. Lui, incontrandoli, li mirava, sorridente, di piú accendendo le ire.

Quasi sempre solo, attraversava il paese, i vezzanesi lo vedevano allontanarsi verso i campi, e i suoi occhi grigi, che a volte sembravano celesti, gli scomposti capelli biondi, rari a Vezzano, facevano nel ricordo ancora piú enigmatica la sua figura, la quale invitava alla soggezione anche per la robustezza, unita a un'agilità fuori del comune.

Mia madre con poche parole mi accennava a Oscare; del suo fuggire, scorgendolo, verso la porta della zia Lisetta. Poi rimaneva silenziosa, io, nel ronzio della febbre, aspettavo altre descrizioni e perché non venivano facevo con la voce turbata brevi domande.

Mia madre a malincuore rispondeva e mi sembrava si interrogasse: se doveva mettermi chiaramente in guardia contro Oscare perché avessi orrore delle sue azioni, oppure se era meglio tenermi tutto nascosto, non darmi alcuna esca perché neppure inconsapevolmente maturassi ammirazione per chi era libero da ogni legge.

Nel silenzio, per il fervore della febbre, si esaltavano le mie immagini.

VIII.

Sotto l'orto dei Biassoli, tra quei sali e scendi che è tutta Vezzano, ancora esiste la casa della signora Albertina. Suo marito era l'avvocato Rodolfo, il gilet bianco immacolato, il viso di gentile ovale, i baffi biondi accurati come morbidi spazzolini di nailon.

Oggi la casa della signora Albertina, lasciata in eredità a una vecchia serva, gonfia la cispa nelle palpebre, le braccia rilassate, le persiane come le stecche di ombrelli distrutti.

Ogni volta che ritorno al paese temo di offuscare una memoria.

Col passare degli anni la signora Albertina prese sempre piú il volto della Befana, il naso e la punta del mento allungatisi in fuori, il taglio della bocca piú sottile e molliccio.

Il suo amore per l'avvocato Rodolfo fu contrastato per differenza di censo. Lui dava a tutti l'idea di essere fatuo, suo mestiere lasciarsi adorare dalle donne, i libri di avvocatura raramente sfogliati.

I parenti della signora Albertina non volevano abbandonare al damerino vezzanese quell'unica figlia, che possedeva inoltre uno dei piú bei palazzi di Genova.

Al tempo del corteggiamento Rodolfo, fresca rosellina, si metteva all'imbrunire sotto l'orto dei Biassoli, in uno di quegli innumerevoli angoli di cui è ricco Vezzano, e, visibile e invisibile, attendeva che alla finestra si affacciasse Albertina, bella per essere giovane, per essere pura, e innamorata.

Sempre elegante il neo-avvocato, di piccola statura, che invece di essere un difetto lo faceva simile a un gingillo.

La corte a quel tempo si faceva con sottili cautele, un biglietto era un'audacia, alzare le palpebre era concedere le stelle degli occhi, era dire di *sí*; la porpora dipingeva subitamente il volto, pensieri conturbanti si aggrovigliavano nell'animo.

Rodolfo fece tutte le mosse, tutto il paese era emozionato.

I modi, le gioie, i rannuvolamenti, il sereno, il progresso, il retrocedere, la nuova audacia, il coro dei genitori, di lui speranzoso, di lei tuono che brontola, occuparono i cuori.

Quella festa ruscellò perfino tra i contadini.

Mia madre, passando dall'orto, poteva, quasi non voltando il viso, indovinare tutto: nell'ombra Rodolfo, alla finestra di fronte, la persiana socchiusa, luminosa ombra, l'Albertina. Lontano il mormorio di presepio della campagna, i richiami della sera, i profumi delle biade.

La zia Virginia, che aveva avuto una simile storia, ma priva della lieta conclusione, partecipava a ogni progresso e regresso, divisa in due parti, una che accarezzava la felicità, il matrimonio di Albertina, l'altra sognante che la sua vicenda con Virginio fosse un destino comune.

Il matrimonio del neo-avvocato con la signora Albertina fugge negli anni. Tutto ritorna consueto.

Nella loro casa ancora tinta di damasco vecchio, davanti al bianco giglio della chiesa di San Michele, col terrazzo fatto come un inginocchiatoio, io entrai da bambino.

In un tardo dopopranzo fummo ricevuti, io e mia madre, nella sala a pianterreno, le vetrate in fondo alla parete come scaglie di lacrime, al di là lo sfolgorio del cascame d'oro della collina piegata e fuggente verso il fiume.

Sopra c'era il ballo; delle giovani accaldate, alte come dee.

Le signore di Vezzano Basso si facevano rare visite; talmente la vita vezzanese consueta che non esisteva alcun cerimoniale, nessun giorno o avvertimento di visita.

Poche ore prima che mia madre suonasse alla porta, da Genova erano all'improvviso arrivate nella casa della signora Albertina splendenti figlie di sue amiche.

La signora Albertina, ormai intristita dalla monotonissima vita vezzanese, incapace a ribellarsi, consapevole dell'inutile scorrere del tempo, priva di figli che avrebbero risollevato le speranze, semidimentica della sua ricchezza, da anni caduta ogni magia dello sposo, nei momenti di acuta irritazione perfino suo zimbello, all'arrivo di quelle ragazze si dimenticò, aprí i saloni, mise in movimento serve e contadine come fosse di nuovo a Genova, vent'anni prima, quando credeva che capricci e testardaggini non si dovessero poi pagare.

Con una felicità di fanciulla, imporporata in volto per l'animazione, divenuta quasi piú giovane, venne incontro a mia madre, che sentendo musiche e strepito la guardava interrogativamente.

La signora Albertina la pregò con espansività di rimanere, le descrisse il perché, figlie di sue amiche di Genova, divenute all'improvviso cosí belle e grandi, erano venute a trovarla con i loro corteggiatori.

– ... Rimani, Maria... quand'ero giovane anch'io ero
cosí... – e nella sospensione che fece c'erano delusioni,
desideri inappagati e una implorazione: che almeno
qualcuno fosse testimone a ciò che avrebbe potuto essere la sua vita se non si fosse invischiata col bel Rodolfo.

Io sentivo di sopra la pianola suonare, avventata-
mente; la casa mi sembrò divenuta quel giorno una
reggia. Innocentemente vinsi le ultime ritrosie di mia
madre, che non era preparata per un ricevimento; pro-
testai che volevo rimanere.

Salimmo su, nella sala da ballo. Non ricordo i dame-
rini. In un angolo una giovane contadina girava la ma-
novella del pianoforte; le note zampillavano come li-
berate da tanti anni di noia, scattavano nella sala come
caprioli che da prigionieri inaspettatamente si trovano
nella foresta.

Le giovani profumate, il sangue rosso sotto la pelle,
si sedevano un poco sui divani, attorniavano la signora
Albertina, accendevano, per quel tempo grande audacia, delle sigarette.

La pianola riprendeva; pasticcini, vermut, vino bianco, eran portati da contadine impacciate e felici di
quell'occasione.

E una delle genovesi mi si avvicinò, io mi alzai; continuando a tenermi con le braccia si sedette; mi acco-
stò a sé, mi domandò il nome, vidi i suoi occhi da vicino nei quali folleggiava una fiammella gioiosa, il profumo della sua bellezza femminile mi avvolse, seguivo
le labbra che si muovevano come un tenero e vivo co-
rallo; mi stringeva con le due braccia, ero tra le sue
ginocchia, mi passò la mano tra i capelli. La mano fece finta di intricarsi tra i riccioli. Si alzò per ritornare a
ballare.

Capii che davanti a mia madre dovevo far finta di non capire nulla.

Avevo avvertito la voluttà del peccato. Per anni sentii il suo profumo nel petto, nella testa, nel cuore.

IX.

Quando arrivava Gioà, col carro, nella piazzetta davanti alla casa dei Biassoli, era l'inizio del grande giorno. Arrivava in camera mia la Clementina, che dopo la morte della zia Virginia era passata al servizio di mia madre, ad avvertirmi; il sonno scompariva come non fosse mai esistito; correvo alla finestra. Il carro era fermo nel mezzo della piazzetta, l'aria fresca e leggera; i due bovi mirati dall'alto avevano un bianco che abbagliava, i dorsi erano immensi; le corna, esili, che si dilatavano uscendo dalla testa, avevano qualcosa di inesplicabile e affascinante.

Gioà era già su, nella stanzetta dove il ritratto dello zio don Filiberto guardava dalla parete. Era stato ricevuto dalla Clementina che, quasi in silenzio, con scorza ruvida, con l'ombra della gelosia aveva preparato il tavolinetto, steso la tovaglia, portato il formaggio, il pane, il bicchiere, la bottiglia del vino.

Io, vestitomi in fretta, arrivavo a vederlo: era già seduto, aveva il viso come la luna quando dicono che è una focaccia, dove c'erano infissi due occhi piccoli, brillanti e facili a commuoversi inconsapevolmente; i muscoli e il grasso gli impacciavano la persona, facendogli le braccia e le gambe piú corte; le mani erano callosissime, porgendomi la destra aveva cura di farla gentile. Era rasato di fresco, le striature del rasoio tinte dal sangue.

Parlandomi aveva ogni tanto un sorriso protettore e sornione, quasi considerasse che se ora vivevo come un fiorellino nella serra, avrei poi incontrato la rudezza della vita.

Gli domandavo se ci avrebbe portato *al piano*, al fiume, alla Magra, dove lui aveva la terra e abitava. Mai mi veniva in mente che la terra era di mia madre. Lui re, padrone assoluto del fiume e dei campi, ricchi di verde.

In piedi, davanti a lui, continuavo ad ammirarlo. Aveva cominciato a mangiare. Il cibo era: pane fatto in casa alla maniera di Vezzano, cioè molto stacciata la farina e molto lavorata sulla madia, cotto nel forno casalingo senza trasgredire una delle regole, da generazioni tramandate: il formaggio di pecora era divenuto giallo riposando per mesi nella tavola sospesa al soffitto della cucina; il vino era bianco, di Corongiola.

Gioà, tra il rugoso fruscio del vestito di fustagno, con un suo coltellino incideva la formaggetta, staccava una scheggia, tagliava un tocchetto di pane e, bagnandosi ogni tanto la gola, masticava lentamente, assaporando.

Quella giornata si ripeteva ogni estate. Gioà era stato prima il contadino della zia Virginia, aveva conosciuto tutti i vecchi, anche il nonno Guerino e, naturalmente, il signor Ippolito, la zia Anna, e gli altri; sapeva ogni storia della famiglia, suo padre aveva lavorato la stessa terra.

Ogni estate, fin da ragazzo, era venuto a far visita ai padroni, ogni volta tutto svolgendosi uguale. I sacchi della farina rimanevano sul carro, lui saliva, veniva ricevuto nella prima saletta, dove poi, dopo la morte, il ritratto di don Filiberto sembrava fosse sul punto di continuare il discorso.

43

I sacchi di farina venivano portati dal carro al solaio da altri contadini, faccendieri di casa, mescolanza di servitori, persone da fatica, gente di fiducia, e, perfino, dame di compagnia, tra i quali la silenziosa Clementina assolutamente primeggiava.

In quella mattina Gioà, mentre, come ogni volta, si rifocillava, dava le notizie e ne riceveva, notizie della terra ma innanzi tutto della famiglia. Gioà era celibe, viveva con due sorelle anch'esse solitarie, e le sue notizie erano poche; egli era avido di quelle dei Biassoli, ed anzi quella sua condizione di senza famiglia lo aveva fatto piú attaccato alla terra, ai padroni, alle consuetudini.

Mentre quella mattina mangiava e azzardava domande era chiaro, dall'esattezza dei ricordi, che continuava il dialogo dell'anno prima. Non faceva alcuna domanda inutile.

Alla morte della zia Virginia era venuto al trasporto e mentre la cassa spariva nel loculo del cimitero era tra quelli che piangevano guardando interrogativamente.

Mia madre era rimasta l'ultima dei Biassoli.

L'anno dopo, d'estate, nel solito giorno, dopo aver annunziato la visita e averne avuto conferma, era arrivato col carro dei buoi nella piazzetta del Monticello, al solito deserta, era salito, su per le ripidissime scale di «sotto la volta», alla casa dei Biassoli; la Clementina l'aveva fatto accomodare nella prima saletta.

Senza alcuna parola era diventato il contadino della signora Maria.

E già la prima volta, e negli anni seguenti, sembrava si comportasse con piú cautela, forse con commozione; i silenzi, mentre mangiava, erano piú lunghi. Già era avanti negli anni. Seduto in quella saletta sentiva gli sguardi e le voci dei Biassoli morti.

Abituato a vivere al fiume, dove la solitudine è regola, aveva agio di meditare.

Ed ora mia madre, che aveva visto bambina, che aveva portato sul carro al fiume insieme al fratello Alfeo, appariva davanti a lui.

Mia madre aveva una voce di cristallo, limpida e alta, come quelle mattine terse quando la primavera sta sorgendo sullo screpolato ghiaccio dell'inverno, una voce che, nonostante fosse tutt'una con la gentilezza, era infrangibile, ignota ogni inflessione.

Gioà domandava e rispondeva, fisso alla padrona, divenuta grande. Mangiava ora più lentamente mescendo invece più di frequente il vino bianco che in quel momento, a me che rapito guardavo, sembrava liquido sacro e misterioso, testimonianza dell'unione della natura con l'anima degli uomini.

Noi bambini intanto che dall'alba, pur nel sonno, eravamo in allarme, pronti alla partenza, prima con gli sguardi imploranti poi con le parole, che divenivano presto vivaci, si sollecitava mia madre che dicesse a Gioà di affrettarsi. La signora Maria non si curava d'ascoltare le nostre impazienze.

Già numerose volte ci eravamo affacciati alla finestra rimirando la immensità di quel bianco vivo che al comando di Gioà si sarebbe mosso, e si ritornava in saletta, ci si avvicinava a Gioà, si attendeva che si formasse una pausa.

Le sue vesti, forse per il fustagno che fruscia, o per l'odore che acquista chi maneggia bestie e prodotti della terra, avevano un profumo che segretamente inebriava; la nostra fresca immaginazione sentiva fra loro scontrarsi le spighe del grano, il fumo delle stoppie di settembre, l'umido sudore delle stalle.

E da vicino Gioà era ancor piú leggendario, la faccia sembrava piú grande, piú buona e indecifrabile, le screpolature di sangue per il rasoio tenuto dalla mano troppo massiccia ci commuovevano.

In una pausa io direttamente gli parlavo, gli chiedevo cosa gli importasse di mangiare, stare seduto quando c'era la possibilità di andare *al piano*, attraversare la Magra, essere col carro in mezzo al fiume, tra le acque che scorrono sopra le ghiaie, passare tra i canneti, percorrere tutto il greto che si è seccato al sole dell'estate e l'arido muschio ricorda le piene, il limaccioso fango dell'inverno.

Forse i nostri occhi di bambini, le nostre preghiere e ammirazione colpivano facilmente il suo cuore.

Gioà chinava gli occhi come non ascoltasse ed era attentissimo; trangugiava in fretta alcuni altri bicchieri, spezzava un tocchetto della gialla formaggetta, vecchia cera di api, ed era in piedi, per divenire nostro, quasi nostro zimbello, se non ci fosse stata mia madre, nella sua fragile gentilezza, a indicare le precise incontrastabili convenienze.

Precipitavamo giú, verso il carro, verso i buoi, nella piazzetta del Monticello.

Gioà, come un pachiderma disabituato ai luoghi, scendeva, dietro di noi, le ripidissime scale d'ardesia di « sotto la volta ».

Eravamo già sul carro, infine sarebbe venuta la signora Maria con la Clementina.

Gioà in mano la frusta, i buoi in procinto di muoversi.

Mia madre, come si fosse in Giappone, apriva l'ombrellino bianco, fiorettato schermo del sole.

Traballando il carro, crollando come le pietre che dirupano e di nuovo si assestano, si cominciava sulla mulattiera a procedere.

Già avevamo sorpassato la casa degli Ottolini, c'era ora quella della signora Albertina, tutta tinta di damasco, uguale a un inginocchiatoio che si prosterna davanti a un tramonto. Alta, sulla tempia sinistra, la chiesa di San Michele, simile a un giglio, identica al suo alzarsi silenzioso.

I mozzi quasi toccavano i muri delle case. Nella piazzetta sassosa, dove qualche volta si faceva il mercato, i rintocchi del carro risuonavano fragorosi.

Si sfiorava il muro del «campo», il piazzale della parrocchia, eravamo davanti alla casa di Mozzon: si sfociava nella discesa.

I bovi, lenti, permettevano di vedere tutto. *La Cava* sarebbe stato il primo spettacolo. Era una cava di sassi, antro nella montagna, una ferita, la terra in alto slabbrata, un grande padiglione d'orecchio che cova il murmure dei suoi delitti. In tutti i tempi era stata luogo di rapine e, durante i torbidi periodi di trapasso da un regime all'altro, luogo di esecuzioni.

I nostri occhi si aprivano sembrando impossibile che *La Cava* fosse davanti a noi, pronta a inghiottirci.

Per fortuna, forse per ricompensa, a pochi metri c'era Cornetolo, dove il paesaggio si apriva d'un colpo, immenso come una favola. Scendeva in festa il verde della collina e laggiú tra le ghiaie, ai lati gli azzurri monti protettori e giganti, si snodava la Magra, argentea anguilla che, girando tutte le danze, si confondeva poi lontanissima, in un fumo di viola e rosa, tra le braccia del mare, che l'aspettava.

Mia madre ansiosa ripeteva i consigli, tante volte uditi dalle zie, luogo quello di malanni per i venti maligni che vi si incrociavano, esclamava di coprirci, serrare le giacche; la sua voce cristallina, divenuta piú tesa per l'emozione, ci avvolgeva; meccanicamente ubbidivamo, intanto che i nostri occhi erano persi in quella specie di paradiso.

Ma, quasi fossimo in un gioco che dopo il bianco scandisce il tasto nero, la strada, abbandonando Cornetolo, si faceva piú opaca, siepi e comuni vigne la delimitavano; era un invito alla calma e alla meditazione.

Poco distante c'era il cimitero.

Dopo la prossima curva, un muro, sulla destra, da terra armoniosamente saliva, come un'onda, per discendere dall'altro lato; era il muro che sorreggeva la breve salita davanti al cancello: al di là la quiete, accompagnata dall'infantile fruscio degli ulivi.

Sul carro già c'era silenzio. Tutti si guardava da quella parte della collina.

Mia madre aveva lí tutti i suoi. Ci diceva che rispondessimo alla preghiera.

Tutti insieme mormoravamo le risposte; figure lontane sembrava che si alzassero, mute; immagini vaghissime, eppure forti, della nonna Clotilde, del nonno Ippolito, della zia Virginia, della zia Anna.

Gioà, gonfio di muscoli, lo vedevo abbassare la testa, riuscivo a distinguere, guardandolo di profilo, un occhio, divenuto piú brillante.

I tocchi del carro erano divenuti come campane.

Le preghiere terminate, le parole, le esclamazioni, le risate, il « guarda-guarda! » si riaccendevano e, svolta, lentamente scendi, svolta l'altra curva, mia madre un po' accesa in volto per il caldo e le emozioni che di continuo la fantasia accalorava, si arrivava allo Scoglio.

Noi scendevamo per « la carrozzabile », conquista di quei tempi, ma una ripida mulattiera tagliava direttamente il monte. La carrozzabile, nei suoi avvolgimenti, due volte la intersecava; una di queste era lo Scoglio.

In quel punto vi era un grosso sasso, adatto a poggiarvi ricolme paniere, valige, sacchi, mentre chi li aveva fino allora portati si riposava asciugandosi il sudore, sedendo all'ombra della siepe o di un albero; sosta alla fatica, una tappa raggiunta, una sorta di premio; intorno la natura era meno aspra, piú leggiadra; chi era lí era sicuro di ricevere dal passante poco carico, o quanto lui sudato, da chi scendeva, un saluto, una domanda, una voce, si allacciava un breve dialogo, che era la fraternità.

Io, non conoscendo ancora la fatica, quanto essa unisca chi vi è sottoposto, guardavo interrogativo riuscendomi nebulosa la vivacità con cui i grandi nominavano lo Scoglio, non vedevo altro che un grosso sasso che, per altre gite, sapevo un po' unto sulla superficie, e poiché continuavo a guardare mi ricordavo sí come lí i contadini si salutassero con una speciale trepida gentilezza, ma la mia fantasia correva al seguito di quella mulattiera, infatti essa, subito dopo, diveniva buia, ripida e stretta, incassata profondamente nella terra dei campi e a una curva, all'improvviso, c'era una casa bruna, sempre deserta, dove ci suonava il silenzio.

Lo Scoglio con facilità era oltrepassato; il viale dei castagni, lí vicino, tranquillamente ci rimetteva sotto il manto degli incanti.

Il carro vi procedeva sotto, l'ombrellino di mia madre diveniva piú bianco, il carro battendo i rintocchi sembrava ridesse, era come attraversare un bosco, per terra le palle gialle di spine, altre, attaccate ai rami, sfioravano le nostre teste, la voglia di afferrarle era trattenuta dalla consapevolezza dei pungiglioni, che facevano immaginare piú marrone e fresco il frutto che proteggevano.

La strada, in quel punto diritta, aggiungeva maestà a quelle fronde, permettendoci di ammirarle tutte insieme.

Ancora poco ed eravamo *al piano*, ma prima c'era Fornola, luogo di tutti; si sfiorava la strada nazionale dove passavano ogni sorta di carri e automezzi con volti anonimi, che ignoravano Vezzano, i Biassoli, Gioà, Corongiola, la Magra, anonima vita che avremmo dovuto un giorno attraversare. Si scivolava via per un lato, c'era il pendio di una discesa ed eravamo sul greto.

Il vastissimo letto del fiume, asciutto per molti mesi dell'anno, è formato da infinite ghiaie, all'incirca tonde, della grossezza di un uovo di struzzo, per un bambino ognuna di questa è una perla e un oggetto meraviglioso, pesante e leggero, e la tanta infinità di quei grani, distesi per chilometri, dà il senso di una ricchezza e padronanza da re. Di sopra il carro le nostre pupille bevevano.

Gioà, ormai nel suo territorio, era diventato piú tranquillo, di nuovo a suo agio e sorridente. Mia madre prendeva un'aria quasi di sfida come quella natura, con la quale si era provata bambina, le ricordasse che soltanto alla eccitabile fantasia erano dovuti tanti suoi timori.

Il carro ora rintoccava come le campane che si liberano a Pasqua.


L'estate contava gli ultimi giorni, la Magra era uguale a una vena sull'avambraccio di una fanciulla.

Si passava prima sopra le ghiaie che conoscevano

l'acqua soltanto durante le grandi piene; si continuava a oscillare per gli avvallamenti, espressioni di vecchi percorsi del fiume (ché infatti la Magra ogni stagione si sceglie, in quel vastissimo letto, il sentiero che le aggrada) e, calpesta, tronca aridi arbusti, rivoltola ghiaie, il carro arrivava alla limpidissima vena estiva.

L'acqua ridendo fuggiva. I bovi, divenuti piú bianchi e leggeri, un po' s'impuntavano, prima di penetrare in quella strada cosí diversa; muovevano lentamente il collo a destra e a sinistra a significare incertezza; Gioà con la punta della frusta, con la voce, ricordava la sua presenza; essi muovevano i ginocchi, li alzavano, tentavano con lo zoccolo il nuovo elemento, e poi, franchi, come si fossero ricordati essere quello il fiume ben conosciuto, entravano deliberatamente nell'acqua.

Il punto piú alto arrivava poco piú su del mozzo. Imploravamo Gioà di rimanere nel mezzo, fermarsi. L'acqua si avvoltolava ai raggi delle ruote, ricordava sciami di ragazze che fanno a piglia-piglia, vestite di bianco, in un cielo tersissimo.

I buoi rimanevano per qualche secondo fermi. Gioà di nuovo li incitava. In segreto temeva il fiume. Il punto dove si passava era in quel giorno il piú basso; non desiderava prendersi troppe confidenze col carro pieno di bambini.

Gocciolante il carro saliva sull'altra riva.

Ci si voltava verso il fiume, che si allontanava.

I bovi, riconoscendo forse nella morbidezza del terreno i loro luoghi, dimostravano nuova lena.

Ancora noi si aveva nelle orecchie lo scorrere dell'acqua.

La terra era umida e verde. Il sentiero che ci conduceva era al greto parallelo; dei ciuffi di canne spesso nascondevano il fiume, per farlo di nuovo apparire.

A un certo punto il sentiero era strozzato, il fiume aveva fatto un grande golfo dentro la terra, la piena aveva rotto, divelto, cancellato ogni disegno. Il sentiero si accontentava, posticcio, di contornare quella grande insenatura, per riprendere, diritto, dall'altra parte.

Quel golfo, fitto di ghiaie, che pareva ridessero al sole, era una volta un podere di mia madre. Gioà indicava gli approssimativi confini, spostando il braccio.

A mirare quella immensità di ghiaie, di proprietà di nostra madre, proprio sue, padrona di ognuna, ci si abbacinava; ci sembrava ora che il sole vi splendesse sopra con orgoglio; rimanevamo zitti, come vinti; io di sottecchi guardavo mia madre che, eretta nella persona, l'ombrellino trinato a farle corona, seguiva le indicazioni di Gioà, e scoprivo, in un turbato lampo, che essa ci trattava cosí, con familiarità, perché eravamo suoi bambini, ma essa era una regina.

Arrivati alla terra di Gioà, si scendeva dal carro e, infantile innocenza che subito si rifà fresca, ritornati ragazzi, prendevamo a scorrazzare. Non mi ricordo cosa si mangiava, il cibo era un impaccio, una sosta alla quale si è noiosamente obbligati.

Quando la sera cominciava ad avvicinarsi, il sole in china sulle cime delle montagne, a piedi, ogni anno, come da bambini avevano fatto Alfeo e mia madre, come avevano fatto i loro genitori, si prendeva la via del ritorno. Gioà avrebbe voluto accompagnarci, mia madre sconsigliava, il carro sarebbe poi dovuto tornar giú di notte.

Silenziosamente la Clementina ora prendeva il comando; praticissima del monte e del fiume ci avrebbe condotti al guado, e, per i sentieri piú ripidi, a Vezzano, al Monticello, alla casa dei Biassoli. Era alta, robusta, severa e protettrice, di agilità quasi felina, portava un corpetto aderente e accollato che la lasciava libera nei movimenti delle braccia; la sottana, che dall'alto della vita le scendeva fino ai piedi, flessuosa di innumerevoli pieghe, di panno grigioscuro come il corpetto, indicava quanto fosse gelosa delle usanze e del suo stesso pudore. Si metteva in testa alla colonna e, avviandosi, dava ordine di partire: nostre vaghe proteste rimanevano vane.

Si scendeva, eravamo tra le ghiaie, sopra di loro; soppesate tra le mani scoprivamo che a metà erano incalcate nel fango; altre erano linde, meno belle di come si erano immaginate di sopra al carro.

Ai margini del fiume ci levavamo le scarpe. Era una specie di supplizio, come a rimettere tutti i peccati della giornata. I miei piedi non erano abituati a poggiarsi su ghiaie, per di piú anche scivolose, inoltre la corrente costringeva a stare attenti anche a lei.

Mia madre era implacabile. La Clementina, andando avanti e mostrando che per lei era come passeggiare sulla lana, era, a suo modo, ancor piú intransigente.

I miei fratelli anch'essi penavano; i commenti piú acidi erano i miei.

Procedevo con le scarpe in mano, l'acqua presto sopra le ginocchia. La bianca pianta del piede, prima di poggiarsi, tentava la ghiaia, come a propiziarla, che fosse meno appuntita, meno beffeggiatrice della mia verginità. L'acqua fredda e verde si avvolgeva intorno alle gambe. Decidevo di procedere senza commento, serravo le labbra a ogni dolore dei malleoli colpiti dalle ghiaie che si rovesciavano, procedevo, l'altra riva ancora lontana.

Ma intanto, ogni volta, mentre i piedi fuggivano timorosi, qualcosa, ogni volta inaspettata, mi toccava l'animo, come una dolcezza mi prendesse furtivamente per mano. Alzavo la testa; i monti, cupi di viola, si erano avvicinati, e da quell'acqua, dalle sponde, da tutto intorno, unico caldo bosco, udivo provenire verso di me, dentro il petto, nel mio animo, una voce mai udita, tenerissima.

Mi fermavo in mezzo al fiume, in abbandono e attentissimo. Avrei voluto prolungare, essere solo. Era una voce che a tratti mi sembrava comprendere, un linguaggio che si rivolgeva a un altro dentro di me, lo chiamava, lo riconosceva. Facevo un altro passo, la pena fisica ormai trascurata, mi fermavo; desideravo di nuovo udire, i monti mi parevano essersi di piú avvicinati, e, morbidi, affettuosi, si occupassero soltanto di me, si rivolgessero a quel soffio che avevo nel petto, facendolo vivo, sicuro, presente.

I miei fratelli erano avanti. Mi affrettavo. Mentre, seduto sulla sponda, mi rimettevo le scarpe, mi interrogavo dubitativamente cosa era successo, alzavo gli occhi sugli altri per scoprire se anche a loro era capitato cosí. La Clementina era già distante; ero l'ultimo; correvo a raggiungerli.

La giornata volgeva al termine. Si abbandonava la valle, si cominciava a salire l'irta mulattiera che portava a Vezzano. Gli arbusti divenivano a ogni passo piú misteriosi di ombra.

In fila, in silenzio, si giungeva sotto il Monticello, eravamo sulla piazzetta, si passava « sotto la volta », gli altissimi scalini ci spronavano a spicciarci in quell'ultima fatica.

La casa dei Biassoli, vagamente nemica, non impediva che entrassimo; appunto perché figli della signora Maria.

x.

Le terre dei Biassoli erano la Garana, Corongiola, al Piano, Sargiattola, e alcune altre piccole e quasi abbandonate.

Corongiola era la regina. Dalle finestre dei Biassoli era facilmente individuabile per la casa bianca del contadino e la nera baracca del deposito di foraggio; la pallida ombra del tetto delle stalle sembrava esistesse per sottolineare lo sfavillio delle altre due.

Corongiola era la piú bella terra di tutto Vezzano: situata in quella parte che il sole guarda piú a lungo, in collina e pur tuttavia pianeggiante. Il suo vino dava succhi di pure sostanze; aveva accompagnato i Biassoli dal quattrocento fino alla morte di mia madre.

Era ricordata con orgoglio, mirata dalle finestre.

Per la vendemmia venivano da altre terre contadini, imporporati di sole; arrivavano ragazze, tra le quali me ne ricordo una cosí bella che stimolava la nascita di un timore, abbassava le palpebre che nascondevano l'azzurro; temevo per lei che doveva come le altre portare la pesante paniera da Corongiola, per la sassosa salita, fino a Vezzano, alla cantina.

La vendemmia durava alcuni giorni. Un esercito frugava tra le foglie, grappoli gonfi come vitelli, le paniere venivano colmate; le donne con quel carico sulla testa, molli ed elastiche sulle gambe, piú modellato il corpo per lo sforzo e le braccia alzate, in fila salivano.

A mezzogiorno era pronto un grandissimo piatto di stoccafisso e patate lesse, immerse nell'olio d'oliva. Si intrecciavano cauti sorrisi.

Io non osavo avvicinarmi. Passando vicino, rubavo piú che potevo; fu uno dei primi intensi spettacoli della vita.

La cantina dei Biassoli era scavata nella roccia, ci si arrivava per sentieri sassosi, e l'ultimo, per toccare poi la sua porta pesante di muffe, era un dirupo. Le botti disposte torno torno, nel buio, uguali a budda. Le candele, come fossero avvolte dal sonno, appena muovevan la fiamma.

Le donne montavano per le scalette addossate ai tini, giú versavano le frotte dei grappoli, pochi minuti prima frutti vivi al sole.

Quelle lugubri cassapanche infine erano gonfie fino alla gola.

Un anno tale fu l'abbondanza che la cantina era grondante, stipata; si domandò ospitalità al marchese Giustiniani.

Mia madre per la vendemmia, un cappello di paglia, le forbici, un piccolo paniere, ci conduceva. Non ammetteva che dimostrassimo essere rapiti dalla vicenda.

XI.

Sin da bambino il nome di Castruccio era stato cosí
familiarmente ripetuto da mio padre che mi pareva uno
di casa e quando lo lessi in Machiavelli ancor piú amai
questo autore; quando lessi che Castruccio aveva gio-
cato da bambino a Lucca, sul sagrato di San Michele,
mi sembrava di leggere che aveva fatto le prime corse
nel « campo », davanti alla chiesa di Vezzano Basso;
quando appresi che morí a Fucecchio di polmonite,
dopo una battaglia, per esser rimasto con le spalle su-
date esposto al vento freddo di quelle gole, udii mia
madre che con ansia raccomandava di difendersi, aver
timore dei maligni venti di Vezzano.

Le Due torri di Castruccio, gloria di Vezzano, hanno
la radice proprio nel giardino piú alto dei Biassoli e una
delle due, quella tonda e piú corrosa, è quella che fa da
spalliera alla panca dove mio padre e mia madre, fidanzati, solevano sedersi.

C'era appunto una panca nel piú alto giardino dietro
la casa dei Biassoli, contornata e protetta da un ombrello di rose; il marmo era istoriato da brune variegazio-
ni, muffe accavallatesi attraverso le stagioni.

Standovi seduti si era avvolti dai fiori, in alto un
tetto, ai lati quasi tentavano di abbracciare e davano
un senso di tepore e un certo timoroso mistero che era
rinfrancato dal consueto paesaggio, libero davanti agli

occhi: il lungo dorso del Capitolo, la cima di Vezzano Alto con la torre a metà corrotta di sassi.

Mia madre mi accennò qualche volta al tempo che era fidanzata e a quella panca. Io, nel silenzio che per attimi seguiva, con un leggero rossore, con una turbata commozione, immaginavo mia madre fanciulla, la raffiguravo come in una sua fotografia che c'era in casa, il cappello bianco col sottogola a rinserrare i prorompenti capelli, l'ovale del viso, gli occhi incantati e malinconici, il resto della figura rinserrata di corpetti e merlettate sottane lunghe oltre la caviglia. E intanto immaginavo le zie, lontane, in ombra; piú lontano il geloso signor Ippolito; immaginavo le contadine, serve di case e affettuose come parenti; e tutti questi volti intenti, sparsi negli angoli degli altri giardini, nelle prossime stanze della casa, apparentemente occupati a un altro lavoro, in verità a pensare ai due fidanzati che, seduti sulla panca, protetti dal fitto intreccio di rose, si confidavano il futuro.

Benché il tempo tutto rovini e scancelli, nella mia fantasia è stampata questa visione: le Due torri di Castruccio, benevole guerriere, la panca corrosa di storie lichenose, mio padre e mia madre fidanzati, le rose che dal loro semicerchio si gettano in avanti come a ferocemente proteggere qualcosa.

XII.

Per un piccolo affitto veniva la Rò di Cavana. Si tratteneva tutto il dopopranzo. Mia madre non aveva piacere che noi si ascoltasse.

La Rò era una donna bellissima, i lineamenti forti e armoniosi; non fu mai vecchia, mai suscitò questo nome.

Abitava a San Giorgio che di Vezzano è il punto piú sassoso, le costruzioni fitte e una con l'altra interseca- ta, a causa della configurazione della roccia; il luogo un disegnarsi di linee geometriche. Quando il cielo è ter- so, come spesso sulla cima di quella collina percorsa dai venti, ogni figura si staglia.

In una di queste case, una scaletta per arrivare alla porta, abitava, da sola, la Rò di Cavana.

Aveva un unico figlio.

In un primo tempo, appena finita la prima grande guerra, la parola *comunista* era confusa, aveva qualche cosa di favola, di un luogo lontanissimo, una parola che alcuni già terrorizzava ma in genere faceva soltanto al- zare il capo, guardare davanti a sé come si presentasse una interrogazione.

Ma, passato poco tempo, per l'occupazione delle fab- briche, per le notizie che venivano dalla Russia, que- sta parola si accese; e presto ebbe a contrasto il nero fa- scismo, il quale, salito al potere, spense ogni colore.

Vezzano, che anch'esso era stato percorso, per la vicinanza delle fabbriche, da un brivido, ritornò come in passato.

Solo il figlio della Rò di Cavana era rimasto comunista.

Gli altri operai si erano sempre piú chinati, tacitamente sottomessi, alcuni si erano iscritti al Fascio, tra il silenzio degli altri. Continuò qualche bastonata, qualche violenza verbale. Tutti ubbidivano. Soltanto il figlio della Rò di Cavana guardava come prima. Già era stato bastonato, nuovamente bastonato nella pubblica via, presenti gli altri.

Questo giovane, che si chiamava Piè, aveva perso il lavoro, e anche gli amici, poiché pericoloso farsi vedere con lui.

Il paese cosí piccolo era un altro ostacolo: uscire di casa ed essere subito notato, incontrare un amico che volge gli occhi, o guarda dolorosamente cercando con lo sguardo spiegare; anche le ragazze non desiderose di frequentarlo. Piè senza presente né futuro.

Viveva con la madre, in quella casetta di due stanze e la cucina; coltivava una piccolissima terra.

Una notte i fascisti circondarono la sua casa per entrarvi e ucciderlo. Ai fascisti del paese si erano uniti fascisti della città vicina.

I forestieri avrebbero dovuto compiere l'affare, a quelli del luogo il compito di indicare.

La madre, in allarme, udí dei passi e una voce forestiera. Quasi in quei suoni udisse arrivare la tragedia svegliò il figlio. Fino allora mai l'avevano picchiato dentro casa.

Mentre il figlio si vestiva, la madre guardava e ascoltava dietro le persiane. Notò visi forestieri e udí fascisti del paese sussurrare che dall'altra parte c'era un sentiero per dove Piè avrebbe potuto fuggire ed era prudente in quello si appostasse qualcuno.

Per recarsi a questo appostamento si doveva fare un giro di circa duecento metri.

La madre corse dal figlio ancora semivestito.

Appena ebbe inteso, questi, cosí com'era, si calò da una finestrella posteriore, saltò un muro che divideva, fu nel sentiero prima che il fascista vi si fosse appostato. Attraverso campi, giú per ripidi boschi, sparí; la madre non lo vide mai piú.

I fascisti, fatto l'appostamento, percuoterono la porta.

La Rò non rispose. Attendeva uno sparo, degli spari, la morte del figlio.

I fascisti colpirono con piú insistenza la porta.

La Rò si affacciò alla finestra. I fascisti dissero: — Venga giú Piè, vogliamo lui.

Intorno le case tutte chiuse, attentissimi e sgomenti gli orecchi.

La madre domandò: — Chi è?

— Vogliamo Piè.

La madre richiuse la finestra come in procinto di ubbidire. Corse in camera del figlio, con ansia rifece frettolosamente il letto, nascose i suoi panni rimasti per la stanza, chiuse la finestrella per la quale era fuggito. Stette ancora in ascolto. Poi scese giú, nella cucina, l'unica stanza a pianterreno, fece rumore con gli zoccoli battendo sugli scalini di legno; il suo cuore in affanno come quello del figlio che fuggiva.

La porta di nuovo fu colpita, ai colpi di piede si erano aggiunte spallate che in quel silenzio davano un lugubre fragore.

Essa accese la luce e disse in dialetto: — Vengo! Vengo!

Di nuovo indugiò, e ripeté: – Vengo! – e, per ritardare aggiunse: – Avete rotto il paletto! non mi riesce aprire, mi avete rotto la porta!

Di là si sentiva: – Apri, spariamo.

Entrarono nella cucina tre uomini, ancora giovani, uno aveva la pistola in mano, e questo disse: – Fuori Piè!

La Rò, cosí alta, scarmigliata per non aver fatto a tempo, né essersi ricordata, di aggiustarsi, guardò quel giovane e disse:

– Mio figlio è partito da tre giorni.

– Non è vero, digli che venga giú, è inutile che abbia paura.

La Rò ripeté con la voce implorante: – Non c'è! È partito.

Uno dei tre fascisti tornò sulla porta per domandare a quelli del paese.

La Rò sentí una voce che diceva:

– Allora bruciamo la casa.

Poi sentí la voce trafelata di uno, sembrava arrivato in quel momento, che diceva: – Piè! Piè è scappato, ormai è già a Fornola, è scappato dai campi!

I fascisti stettero incerti, parlaron tra loro, poi rimuginarono i passi; lasciarono la cucina vuota, la porta di casa rimasta aperta.

La Rò di Cavana in piedi, immobile, rimasta sola, da quel momento cominciò a ricordare la precedente vita del figlio, a intessere una interminabile tela.

Quel dopopranzo essa ripeteva, ogni volta nuova, la rappresentazione dei fatti; aveva la voce roca come per aver tanto chiamato. Con mia madre soltanto, in tutto il paese, comunicava l'animo. I fatti, ogni anno passato, erano piú limpidi.

Io, all'arrivo della Rò di Cavana, capivo che mia madre mi voleva allontanare. Durante i giochi la sua ombra cosí diversa mi continuava a dondolare e mi riconduceva alla porta della saletta, chiusa, ed entravo, facendo finta di essere disavveduto.

Mia madre era intentissima. Le due donne sedute, ancora in corso le dichiarazioni, tenevano come le Parche il filo della giustizia: alcune famiglie di Vezzano fasciste per mancanza di pudore, per incapacità a immaginare gli altri, pochezza di mente che tutto fa piccolo, incertezza che sempre naufraga nella paura. La Rò parlava come le mormorassero alle tempie ineluttabili consigli: fatale possedere il favore o l'avversità dei tempi, non inveiva contro la famiglia che ben sapeva essere la principale artefice della sua sventura; e, ascoltandola, faceva quasi nascere il sospetto che fosse arrivata a considerare i fascisti come un elemento necessario nella sua vita, affinché l'immagine del figlio divenisse libera e pura.

I neri fazzoletti di seta che la Rò si soleva aggiustare intorno alla testa, le lunghe vesti, il portamento, l'incedere che la faceva cosí diversa da tutte le altre donne del paese, il volto dove si leggevano pensieri implacabili piú che dolori, tutto in lei era di una nuova nobiltà, da tutti accettata; il suo volto lo stesso di quelle madri imploranti, nel dolore vittoriose, che si vedono nei musei.

In quel dopopranzo i fatti, il paragone, le leggi, pullulavano sulla tavola di quella stanza, si muovevano come serpi scorticate, che umanamente guardano e si rimuovono. Atei coloro che si avvicinano a una casa di notte, mentre il sonno benedice. C'era l'immagine del giovane figlio scomparso.

La parola *comunista* che inavvertitamente si presentava faceva nascere un silenzio sospeso nel quale maturava questa interrogazione: se non fosse la moderna traduzione della parola *sacerdote*.

Un dopopranzo intenso e cortissimo. Al momento dei saluti sembrava avessero da comunicarsi ancora tantissime cose.

XIII.

Ancora sento il digrignio dei denti di Giovannino lo zoppo, come stritolasse dei frammenti.

Nostra madre tante volte ci ha raccontato di questa disubbidienza, e poi, nel silenzio che seguiva, sembrava riflettesse all'esorbitante gesto delle forbici.

Nel nome la storia: *Giovannino*, il diminutivo di un ragazzo; *lo zoppo*, la crudele precisazione del popolo, e pur tuttavia un lontano sospiro di pietà.

La madre era sarta, il padre era morto anni prima. Era un torello, aveva la fronte spessa, gli occhi neri e umidi, le ossa quadrate; era riottoso a tutti i freni.

La madre lo rimproverava, gli gridava dietro. Lui moveva nel cielo le dure cornelle. Un dopopranzo che di nuovo rispondeva con alterigia, la madre, che aveva in mano le pesanti forbici di sarta, con ira le scagliò contro il figlio.

Lo colpí in una coscia, vicino all'inguine; penetrarono con la punta.

Il ragazzo stette un poco ferito e ritornò a scorrazzare.

A quel tempo non si dava peso alle ferite.

Si formò una striscia azzurra, si marmorizzò, venne la cancrena e quando già, alta, aveva invaso, il ragazzo fu portato a Spezia; l'intera gamba fu asportata dalla radice.

Le pesanti forbici, ancora sul tavolo in uso, diventarono vive, occhi beffardi, perseguitatori. Furono usate come parlassero, il fischio che esalavano serrandosi narrava i gemiti dell'anima materna.

Il ragazzo, riportato da Spezia senza una gamba, fu steso nel letto; il torace e tutte le membra, meno una, robustissime; un merlo preso alla tagliola.

La madre che conduceva col suo lavoro la famiglia, uguale a un uomo, era bella: aveva rinunciato a successivi amori; si avvampava in certi giorni.

Ebbe un dolore come le forbici le avessero tagliato il cuore; non uno spiraglio per consolarsi.

Vezzano partecipò dalla prima notizia e negli anni seguenti: interpretò ogni pensiero della madre e del figlio, che poi si alzò, al posto della sua gamba ebbe un bastone di legno, intorno al quale svolazzava come un pipistrello un pantalone accecato.

Col ripetersi degli anni Giovannino divenne corpulento, l'ala strappata costringendolo a un lento e goffo ballonzolamento. Sembrava che tutta la sua forza si fosse rappresa nei muscoli delle ganasce. Mentre passeggiava per le piccole strade del paese, cupo in certi pensieri, stringeva il cerchio dei denti e produceva un rumore come di perle e piccoli sassi che vengono stritolati.

Io bambino, incontrandolo, appena era passato mi voltavo; mi sembrava la figura di una crudele storia udita narrare una qualche sera, in una grande cucina, ormai illuminata soltanto dal focolare, i grandi dimenticatisi del piccolo che ascolta.

Forse l'abitudine a far cosí risuonare i denti gli era venuta dalle tante volte che, riscoprendo, come fosse recente, la sua mutilazione riandava meccanicamente a come era avvenuta, alla sua sfrenatezza, alla madre vedova che tentava d'esser virile, alla cieca ombra del destino, e ogni volta, alla fine, come conclusione, come sentenza, serrava i denti dovendo riconoscere che non doveva, non poteva odiare nessuno.

5

XIV.

La Clementina poi sparí. Se domandavamo di lei mia madre non dava risposta precisa. La Clementa ci strigliò, ci condusse, fu vigile, fu appartata; forse si considerava brutta; aveva nel viso una tenerezza calda e nascosta. Non si sposò perché lei stessa lo impedí, sua dedizione i Biassoli, innanzitutto mia madre.

Ogni minuzia sapeva; fu lei che quando Alfeo, il fratello di mia madre, aveva cominciato a esercitare l'avvocatura a Spezia quasi ogni giorno gli portava le provviste della campagna, il pane, l'insalata, frutti della stagione. Testimone di ogni episodio, aveva assistito alla fuga di tutti. Mia madre, rimasta sola, come un gendarme le fu vicino.

Cominciò ad amare anche i figli della signora Maria. Il tempo correva tramutando ogni cosa.

Non trascurava nessuno. Da anziani scoprimmo che capiva perfino i nostri studi; quando i maschi passavano alla virilità, intorbidandosi; seguiva i nostri pensieri.

Ciascuno di noi credeva d'essere il piú amato dalla Clementa. Era tale la sua attenzione, la sua capacità, che tutti beneficiava.

Era mia sorella Tilde, la maggiore, che nel suo segreto aveva la preferenza, forse perché in lei vedeva il trionfo di quel sangue a cui si era dedicata, forse travolta dalla sua bellezza diversa dalle solite e da una intelligenza virile che anche lei, se non fosse nata da un contadino, avrebbe forse esercitato, e perché nella Tilde ammirava una spavalderia mai esistita nei Biassoli, cosí fitti di immagini che non potevano fare un passo senza prevedere come dagli altri sarebbe stato giudicato.

Mia sorella la chiamava Clementa invece di Clementina, che era il suo vero nome, e lei, severissima sempre, era vinta da quel semplice vezzeggiativo rovesciato e le si strappava dalle labbra un sorriso.

Il suo dramma fu che capiva piú della sua condizione e, stando coi Biassoli, si era inconsapevolmente abituata ai pensieri, sí che poteva rinunciare a tutto ma non a quel mondo, non ai Biassoli che indovinando con facilità l'animo degli altri si facevano amare.

Credo non prendesse mai uno stipendio. Non veniva in mente che lei dovesse esser pagata, era lei a proteggere tutti.

Poi la Tilde si sposò, mio fratello Pietro si sposò. La Clementa non si vide piú. Ogni tanto domandavamo di lei; mia madre vagolava nella risposta.

Ognuno ha cura della propria vita, la quale è corta, difficile distogliere il capo dalle proprie passioni, interessi e desideri.

La Clementa dentro di noi rimaneva come un gomitolo di lana che si muove caldo e senza rumore.

Sempre, negli anni che seguirono, fummo sempre titubanti a sollevare il suo nome, argomento troppo commovente, capace di suscitare penosi rimproveri.

Intanto i Biassoli non c'erano piú, non esistevano piú i signori. Mia madre ormai era di Viareggio, aveva quattro figli, tutti nati a Viareggio. C'erano altri commerci, altre vicende. Non esisteva soltanto il fiume Magra. Anche in casa della Clementina tutto era cambiato. Suo padre, Andrin, contadino ligure che col suo lavoro aveva costruito a ogni figlia una casa, era morto; le sorelle si erano sposate.

La Clementa era rimasta sola. Un vedovo era rimasto con quattro figli, tutti bambini.

Era un uomo di pochissime parole, dedito al lavoro della sua terra. La morte della moglie era stata una folgore. La Clementa l'aveva conosciuto ragazzo. Se non ci fossero stati i Biassoli si sarebbero sposati.

Si presentò a lui un dopopranzo. Lui rispose: – Non sposo una seconda donna.

Era rimasta a fare da madre. Come noi la amammo, cosí quei bambini.

Da noi non venne piú, perché era in peccato, perché stava con un vedovo senza essersi presentata con lui davanti al Signore.

Mia madre giudicava tutta la vicenda, e come la vita fosse eterna, ogni atto un valore assoluto, si adoperò negli ultimi anni della sua vita affinché il vedovo la sposasse, il quale era cupo e religioso.

XV.

Erano rinchiusi, nel mondo per penare, ciechi, bran-
colanti soltanto sulla propria proprietà, e, in questa
noia, fatali e interminabili le dispute, mortificanti e feroci, contro coloro che tentavano non riconoscere il li-
so privilegio.

La quistione de *il passaggio* durò quarant'anni; fu
gettata via dalla vigoria di mio padre.

Per arrivare all'orto piú basso dei Biassoli, quello
che poi mia madre colmò di fiori, c'era uno strettissi-
mo sentiero che sfiorava un altrui possesso.

Un contadino, sudato di orgoglio, un giorno disse
che era suo. Il signor Ippolito, mio nonno, immediatamente proruppe il contrario.

Avvocati, carta bollata, generazioni di processi. Senza fatti quella loro vita, che è meglio la morte.

Il contadino a furia di colpire il terreno, mai avere
una dolcezza, odiare anche il tentativo dei figli di essere sorridenti, era riuscito, le ossa grosse e dure, a com-
prare una casa, adiacente a quella dei Biassoli, e possedere una terra. Il suo piú torbido orgoglio, il trionfo,
sarebbe stato costringere i signori, i Biassoli, a ricono-
scergli una parità.

Queste le vere origini della quistione.

Il Ferdeghini, cosí si chiamava, soleva mettersi, oc-
cupandola tutta, a una sua finestrella situata proprio
sopra il « sentiero », e attendeva, col lucido sorriso del

plebeo conquistatore, che sotto gli passasse il signor Ippolito.

Brevi episodi negli animi vergini si approfondiscono fino alla comprensione assoluta, distinguono la sostanza dal vestito, si offendono quando la tragedia per viltà si colora di farsa, tutto spietatamente valutano; e le parole con le quali poi spiegano tutto ciò fuggono come un volo, esatte e quasi inconsapevoli.

Mia madre assistette quando, l'unica volta, i due uomini si parlarono direttamente e uno minacciò, l'altro ascoltava.

Una casa di saponette a quel tempo metteva per reclame nella lussuosa scatola di tre pezzi un lucido foglio da mille, da una parte stampato a perfezione, dall'altra con le insegne del saponificio.

A quel tempo un contadino ancora tutto sudato non comprava saponette.

Mio nonno un dopopranzo, incontrando alla finestrella, ancora una volta, quella faccia sovrastante la sua proprietà, acceso come uno zolfanello all'improvviso dall'ira, levò dal portafoglio, dove stupidamente li aveva messi, quattro di quei fogli profumati, li mostrò sulfureo al contadino che si stava gonfiando nella pelle come per l'ortica e gli stridette: – Vi farò tornare alla vanga, Ferdeghini; guardate come brucio questo denaro; ne spenderò contro di voi tanti di piú –. E con un fiammifero dette fuoco a quei fogli come fossero veri.

In fondo al sentiero c'era la porta dei Biassoli; in mezzo ai battenti aperti, orecchi di conchiglia, a immaginare ciò che gli occhi non vedevano, c'erano mia madre e la zia Virginia; il cuore spaurito, sbiancate, ascoltavano la prima disputa, la crudeltà. Il contadino in silenzio, mia madre lo immaginava col volto colmo di odio, cinghiale perseguitato e pieno di forza e quanta fatica e dolore aveva traversato per affacciarsi a quella finestrella, quanta ipocrisia e fuga invece nel signor Ippolito suo padre che bruciava i fogli camuffati, giocava sulla cupa secolare ignoranza e paura.

Mia madre, tanti anni dopo, raccontando, senza pronunciare il giudizio, ci avvertiva che quella fu una debolezza, non il costume dei Biassoli.

XVI.

La storia della cambiale fu sempre la piú patetica e drammatica.

Alfeo, agile, timido, attento, delicato, piú riflessivo e fantastico che disposto a trionfar nella vita, educato in quella casa e in quella Liguria dove severità e avarizia sono cosí allacciate da non distinguersi, finiti gli studi secondari volò, come una farfalla, alle luci della città, per la prima volta libero dalle grinfie.

Era un giovane di naturale eleganza, fino allora studiosissimo, e incontrò don Niente, uno del suo paese, che si mise a guidarlo nella via dei piaceri.

Don Niente era di poco piú anziano di Alfeo, aveva iniziato il seminario, ma, vicino ad essere prete, si spretò e di qui nacque quel nomignolo *don niente* cascatogli addosso perché del prete gli era rimasto il colore ma in sostanza non era nulla, infatti non possedeva alcun mestiere.

Rimediava la vita in città con oscuri traffici, e, forse anche affascinato dai vizi, di continuo si aggirava tra quei personaggi che serpeggiano in appropriati locali.

Come vide arrivare il candido Alfeo, don Niente lo sorvegliò, lo condusse facendo finta di dargli amicizia, lo portò fra le sgualdrine. Alfeo mancava di denaro perché la famiglia non immaginava che un giovane dovesse avere denari. Don Niente pagava. Alfeo alcune volte accennò, confuso, che non sapeva come sdebitarsi. Don Niente, tenendolo sotto l'ala, sorrideva dicendo che badasse a divertirsi. Alfeo intuiva che una nube nera si allargava sopra la sua testa ma cercava di scacciare quel sospetto come mandava via il ricordo della famiglia con quelle abitudini e quei costumi. Don Niente infatti, quando parve che la tavola fosse imbandita, aiutato da due sgualdrine, una sera, tutti e quattro riuniti, quando già il vino e le camicette slacciate favorivano, fece, all'improvviso severo, un cenno ad Alfeo; lo fece alzare dal tavolo dove sedeva tra le due, e se lo portò vicino a una consolle con un alto specchio, mobile situato in un angolo del salottino riservato.

– Il trattore aspetta, abbiamo degli arretrati –. E il volto di don Niente ebbe tratti quale il suo animo.

Nel salottino le ragazze, secondo l'accordo, avevano fatto silenzio.

Alfeo, con voce fioca: – Come posso? non ho denaro!

– Si rimedia, – continuò don Niente. E stese sulla consolle un foglio che già aveva in mano: – Firma; e torniamo allegri –. La penna e il calamaio, già preparati, sembrava sghignazzassero sul bianco marmo. Quelle parole furono per Alfeo pezzi di legno che gli pigiavano la schiena tenendolo fermo al marmo della consolle. Alfeo capiva la sciocchezza che era per fare. Nello specchio erano riflesse le due ragazze, Alfeo le vedeva che trattenevano le risa, i loro occhi due focherelli; una stringeva l'avambraccio dell'altra.

Le braccia di Alfeo erano abbandonate lungo il suo corpo. Don Niente prese la penna, la inzuppò, la porse ad Alfeo. Alfeo alzò la mano per prenderla. Nello specchio le ragazze continuavano a seguirlo. Alfeo aveva già firmato la cambiale. Don Niente sorrise soddisfatto. Le due ragazze ripresero a parlare, chiamarono Alfeo. Una volta messo in tasca quel foglio don Niente si comportò come se quella parentesi non fosse avvenuta. Alfeo rideva ghiaccio, le ragazze lo abbracciarono scompostamente e divennero piú sboccate. Alfeo come davanti gli fosse sorta una tavola nera dove erano disegnate col fosforo le figure familiari (il padre Ippolito, la zia Virginia seduta presso la finestra, il volto arcigno della zia Anna, la dolce sorella Maria che sorrideva da un lato con consapevolezza e perdono), pur continuando ad essere dentro il festino non vedeva che quella e desiderò di lí a poco allontanarsi e don Niente non lo trattenne che ormai la cambiale era firmata e la cifra l'avrebbe scritta dopo, con bella calligrafia.

I festini di Alfeo finirono; don Niente parve da quella notte ignorarlo; una volta che s'incontrarono don Niente fu il distratto padrone di fronte ad Alfeo smarrito che non osava interrogare sull'uso della cambiale firmata in bianco.

Passarono alcuni mesi e Alfeo trascinò quel segreto per la città e nelle visite che faceva a casa, durante le quali le zie, vedendolo preoccupato, credettero dipendesse dalla severità degli studi e la dolce sorella, da pochi giorni fidanzata, gli domandò con un filo di voce: – Che ti è successo? – e Alfeo, lui che era quasi avvocato e frequentava la città ed era solito trattare la sorella, sempre rinchiusa nel paese e assai piú giovane, con benevolenza, questa volta, per la prima volta, rispose arrossendo: – Oh! nulla! – e si allontanò turbato come la sorella con la sua semplicità gli leggesse chiaramente nell'animo.

Dopo due mesi un giovedí, il cielo grosso di nubi (e poi durante il pranzo piovve ininterrottamente), la Maria si sposò. Il marito abitava in città e la sera sarebbe partita con lui, abbandonando il paese.

Quella mattina il padre Ippolito, rimasto nonostante gli anni giovane e snello, i baffi accuratamente modellati, elegante, gli occhi grigi imperativi e brillanti di gioia, accompagnò la giovanissima figlia all'altare.

I contadini e i paesani, nel breve tratto che divideva la casa dalla chiesa, assiepati ad attendere, ammirarono la bellezza della Maria, pallida, vestita di bianco, col sorriso modesto e schivo che l'irraggiava.

Dietro veniva la folla dei parenti e degli invitati tra cui primeggiava il sindaco, stretto nella squillante marsina, rubizzo, faceto, e, timoroso, com'era noto, della moglie. Il colore grigio piombo del cielo per il prossimo temporale faceva splendenti i colori che ognuno portava.

Il sacerdote in chiesa a un certo punto, gli sposi inginocchiati, fece il discorso e toccò tasti commoventi per cui lacrime, già pronte, uscirono, fermate da rapidi fazzoletti. Poi tutto il corteo, facendo una conversione, rifece la strada verso la casa dei Biassoli, questa volta però i due giovani sposi in testa, e la folla guardava con curiosità il marito forestiero che s'era venuto a portar via la Maria. Le campane suonavano e sembravano contemporaneamente annunciare mezzogiorno e una domenica.

Là, in casa, in cucina, in sala, nella testa della zia Virginia, che era rimasta per preparare, c'era un gran tramestio. Le contadine avevano il viso rosso per i fornelli, per l'emozione e la fretta. La sala era preparata. La grande tavola ovale era stata fatta piú lunga con l'aggiunta delle tavole di compenso. Una bellissima tovaglia che da tanti anni non si usava era tornata fuori piú immacolata di quando era nuova. La zia Virginia che era la direttrice, nonostante l'affanno di tutti i particolari da predisporre, aveva il cuore pieno di lacrime, lei era rimasta zitella ma il signor Virginio l'aveva amata tutta la vita e anche ora si amavano, ancora quella mattina l'aveva chiamata col suo bastone ferrato. Dopo tanti anni ella aveva osato affacciarsi alla finestra e l'aveva visto, nel suo volto disperato aveva all'improvviso scoperto la sua stessa vita, dedita alla rinuncia. Con gli occhi pesti di lacrime aveva continuato a disporre, e, di lí a poco, a fare piú febbrili gli atti della cucina, si udí prima un mormorio che proveniva dalla piazzetta davanti alla casa, poi una contadina: – Sono arrivati! – e subito salí dal fondo delle scale un rimescolio di risate, di passi, di voci esclamate, e per primo, Alfeo, che faceva gli onori di casa, si presentò sulla porta che guardava le scale, e dietro arrivò il fiume degli invitati tra i quali c'erano i due sposi, la Maria, bianca, felice, e lo sposo con quella nascosta austerità che gli proveniva dall'essere divenuto capo di una nuova famiglia. E tutti si riunirono nella grande sala da pranzo che per il numero degli invitati era divenuta stretta. L'animazione, che era stata guidata e frenata dalle diverse cerimonie, ora scoppiò. In piedi parlavano tutti, il sindaco era il piú rubizzo e invano si tappava la voglia di raccontare storielle birichine e infatti i pranzi matrimoniali erano la sua felicità; e la moglie, vicino a lui, alta, giunonica, con nel volto una materna malinconia, che la faceva ancora piú bella, pareva non avvertire, benché le fossero notissimi, i sanguigni estri del marito. E la zia Annetta, da tutti temuta, da tutti in sospetto che uscisse in qualche acre definizione, invece se ne stava rinchiusa, gli occhi sbarrati, come la commozione l'avesse impietrita e la ragione era che la mattina, vestendosi, aveva ricordato le sue due figlie, morte precocemente, per le quali non era venuto il dolce nodo e alla zia Annetta, da quando davanti allo specchio, quella mattina, aggiustandosi i capelli, le erano nate quelle immagini, le era rimasta nel petto una spada conficcata, e anche ora in piedi, in mezzo agli altri, con tra le mani un bracciolo di una sedia, che tentennava insensatamente, assomigliava a un personaggio che ha la mente fissa in impossibili scene. Ma gli altri avevano un'eccitazione rossa come il sangue e parlavano senza ascoltarsi, non finendo le frasi e solo il brillio degli occhi esprimeva bene lo stato dell'animo. Il cielo fuori si era di più incupito e sul punto di aprirsi in torrenti di acqua.

Intanto si aspettavano le arrosolate tagliatelle, fatte in casa, alle quali di là, in cucina, la zia Virginia stava dando gli ultimi pizzichi di formaggio.

E mentre le contadine portarono in sala, tra il tramestio delle sedie, i fumanti vassoi, e la zia Virginia veniva anche lei, accaldata, a sedersi (dopo aver ripetuto le raccomandazioni alla cucina), la zia Virginia rivide sulla porta quello stesso personaggio della mattina, un forestiero, quasi in divisa militare, con cui aveva frettolosamente parlato tra la furia delle preoccupazioni e le lacrime appena asciugate, un personaggio che aveva domandato di Alfeo e lei aveva risposto che erano tutti in chiesa. Ed ora quello stesso uomo eccolo lí sulla porta, con lo stesso abito grigio adornato sul risvolto della giacca di fregi dorati.

La zia Virginia si rivolse a suo fratello Ippolito, padre di Alfeo, e glielo indicò.

Il signor Ippolito, sfavillante e predisposto a bere fino all'ultima goccia la festa della figlia, dietro le indicazioni della Virginia, si alzò dalla sedia e si avanzò verso quell'inaspettato personaggio, ancora sulla porta, e che si mostrava nel volto addolorato di essere per fare qualcosa che non gli piaceva, ma che però doveva fare.

— Cosa desidera? — domandò il signor Ippolito con quella spavalda gioventú che dalla mattina lo avvolgeva. — Cosa desidera? — ripeté, perché quell'altro sembrava incerto.

Il messo della banca, che capiva che avrebbe rotto una festa, guardando affettuosamente negli occhi il signor Ippolito come a voler ben dichiarare che non era lui il cattivo: — Ho qui un protesto di cambiale per il signor Alfeo Biassoli; è lei?

Il signor Ippolito, interrogativo, per istintiva prudenza con la voce piú bassa, si fece ripetere.

Il messo della banca ripeté.

Il signor Ippolito porse la mano a prendere quel foglio, piegato come un telegramma.

Non solo don Niente aveva fatto firmare, ma opacava la festa piú bella di quella famiglia. Aveva giustamente calcolato di far pervenire quel giorno il protesto della cambiale.

Il signor Ippolito capí e, subito, si rifiutò di aver capito.

Le profumate tagliatelle della zia Virginia fumavano impazienti sulla tavola.

Il signor Ippolito si voltò ad Alfeo. Alfeo guardò il padre.

Quegli attimi di silenzio che occuparono tutta la sala, si ruppero presto in un mormorio.

Benché nessuno sapesse, tutti erano stati allarmati; il sindaco da una furbesca curiosità.

Il signor Ippolito firmò la ricevuta che il messo gli porse sopra un taccuino per modo che la carta non si rompesse sotto la punta del lapis.

Il messo ringraziò e mentre salutava sussurrò al signor Ippolito, che stava girando le spalle: — Sono arrivato fino alla sala da pranzo perché per le scale non c'era nessuno.

Il signor Ippolito riuscí a rispondere: – È la confusione di queste giornate, – e si rimise a tavola.

La viva curiosità aveva invaso gli ospiti che erano tutti abitanti del paese.

La Maria, in cima alla tavola, attentissima, aveva seguito il volto del padre e ansiosa ora stringeva il braccio del marito e gli occhi le bruciavano; mai aveva visto cosí turbato e pallido il padre che si era rivolto ad Alfeo, e Alfeo, dopo avere annuito, era rimasto immobile e sembrava ora un fanciullo da proteggere e da perdonare.

Il sindaco sentiva nell'aria qualche cosa e crepitava sulla sedia.

La zia Virginia non aveva capito nulla, ma era spaventata e le sembrava che tutta la colpa fosse sua se quell'uomo vestito di grigio era venuto a rompere la festa.

Gli invitati cominciarono a mangiare. Le due finestre in fondo alla sala avevano i vetri plumbei per la pioggia che già era scoppiata sul fiume e stava avvicinandosi. Il signor Ippolito aveva alla sua sinistra la zia Virginia, alla destra un invitato. A quel tempo una cambiale di mille lire, che erano tante monete d'oro, era un fatto infame. Il figlio del signor Ippolito cosí cominciava la carriera di avvocato, mostrando di essere trastullo di un don Niente.

La zia Virginia aspettava che suo fratello le dicesse qualche cosa e almanaccava segni segreti, che invece erano notati da tutti.

Il signor Ippolito, pallido, gli occhi chinati, lentamente mangiava. Infine sussurrò alla sorella: – *Alfeo ha firmato una cambiale a don Niente.*

Queste parole – cambiale, don Niente – volarono nella mente della zia Virginia come due pipistrelli facendo scomparire ogni altro pensiero. E poi cercò Alfeo e lo vide chino davanti al piatto, con la bella testa immobile, per la prima volta dipinta di dolore. La zia Virginia sentí dalle viscere salire la maternità. La madre di Alfeo era morta che Alfeo era ancora bambino; cosí toccò a lei allevarlo. Quei nomi « cambiale » e « don Niente », benché ripugnanti, d'improvviso non le cagionarono paura e guardò verso la Maria che lassú, in cima alla tavola, era in ansia per sapere che era successo e le fece segno che stesse tranquilla; e lei, la zia Virginia, la zitella, che per un nulla arrossiva, eretta nel busto, di nuovo le sorrise con serenità, ma in tal modo in quel momento le irraggiò in volto la fiducia e la sicurezza che apparve bella come non era mai stata, la fronte bianca e armoniosa piú libera e robusta, gli occhi celesti divenuti cupi e insieme piú limpidi e come fosforescenti di letizia; e cosí eretta nel busto, l'esile collo contornato da un filo di perle, sembrava una regina.

E la zia Virginia si chinò verso la zia Lisetta, che le era a lato e anch'essa aspettava (la dolce zia Lisetta consunta da quel suo peccato di avere sposato il vedovo) e le disse in tono pratico e consueto: – Alfeo ha firmato una cambiale a don Niente.

E la notizia serpeggiò per il lungo tavolo, corse spezzettata tra le bocche piene di pastasciutta e bagnate di vino, saltò il silenzioso Alfeo, per farsi piú fitta e acuta dopo di lui, e sfociò, aprendosi in rivi, nella rubizza faccia del sindaco che appena individuati i particolari con don Niente, le sgualdrine e i locali notturni, la comunicò, piú viva e lussuriosa, al commensale di destra e poi, felice di aver trovato in quell'ignobile paese, fi-

nalmente! un alleato, tenne fissi gli occhi su Alfeo finché questi alzò il volto verso di lui e allora, rapidissimo, trionfante, furbesco, affettuoso, gli strizzò l'occhio e da quel momento, per una disalberata felicità,
ogni tanto scoppiava in una innocente e rumorosa ri-
sata.

Ed Alfeo, indifeso ma pronto a pagare la sua colpa,
alzando in un battito gli occhi su suo padre, non trovava alcuna via di salvezza e la sua pena era aggravata
per aver corrotto la piú bella festa della dolce sorella.

Infine ci furono gli addii, sotto gli ombrelli, con il
pizzico delle dita femminili a tirare su le vesti. Ci furono i baci.

Nella casa dei Biassoli rimase il silenzio e la cambiale, dietro la quale appariva e spariva il ripugnante don
Niente.

Presto Alfeo si sarebbe ammalato, le stagioni lentamente si sarebbero versate, presto il signor Ippolito, la
zia Lisetta, la zia Anna, la zia Virginia avrebbero seguito Alfeo al cimitero di Vezzano Ligure.

ɛ

*La signora Maria torna dai Biassoli*

Mia madre aveva deciso di ritirarsi a Vezzano; ormai aveva tutti i capelli bianchi.

Viareggio, il marito, i figli, erano stati una grande pausa, laboriosa e vivissima, divenuta quasi un sogno.

Nella sua casa, a Viareggio, ormai non era piú regina. Dopo la morte del marito, i figli ancora scapoli, le cose si erano protratte. L'amore che i figli avevan per lei l'avevan salvaguardata, né poi nulla si modificò.

Mio fratello, sposandosi, portò in casa la moglie; doveva esser lei la nuova regina.

Mia madre quell'anno piú volentieri tornò a Vezzano, dove tutto era intatto; aveva deciso anzi di farvi un lungo soggiorno, forse abitarvi definitivamente.

Io, l'unico scapolo, ero praticamente piú estraneo degli altri, anche se le mie radici bevevano i Biassoli. Inoltre non ero ricco, guadagnavo appena senza chiedere.

Mia madre arrivò a Vezzano i primi di settembre del 1947.

Nei primi giorni le sembrò d'aver per tanti anni abbandonato i Biassoli, quasi con dolore si avvide che con lei definitivamente i Biassoli sarebbero finiti, con la sua morte qualcosa in lei, dentro di lei invincibile, si sarebbe incenerito, le immagini di tutti i suoi, che cosí violente vivevano nella sua mente, non sarebbero piú state.

I suoi figli erano piú forti dei Biassoli, sembravano avere un altro destino; lei li aveva concepiti, cresciuti, amati; dopo aver dato loro ciò che possedeva ora si ritrovava a Vezzano.

Finalmente, completamente fu dei suoi, che aveva lasciato quel dopopranzo piovoso dello sposalizio; l'ultimo bacio fu del pallido Alfeo.

Erano passati quaranta anni. Si era descritto il cerchio del destino.

Mia madre non spendeva nulla; le terre, anche se qua e là in decadenza, sarebbero bastate. Ancora c'erano intorno casa contadine della sua età che sarebbero state liete di servire la signora Maria. Inoltre essa ben sapeva, anche se mai vi avesse fatto l'ombra del calcolo, che i suoi figli l'amavano, compreso quello che scrive, anche se lui il piú debole.

Aveva invitato quell'anno a passare le vacanze a Vezzano sua figlia Tilde, sposatasi a Roma; ma successe che verso il dieci settembre, i figli dovendo prepararsi per le scuole e il marito aspettandola, era ritornata a Roma.

A Vezzano però, nello stesso paese, a Vezzano Alto, abitava un'altra sua figlia, la Maria Luisa, sposatasi con l'ingegner Giuliani, di antica famiglia vezzanese, matrimonio guardato da mia madre con particolare tenerezza, ché almeno una figlia continuasse in quei luoghi. Cosicché non era sola.

Un dopopranzo del settembre vezzanese, questa collina lontana dai traffici, mentre il sole già faceva cenno di declinare e spargeva pagliuzze d'oro per la campagna esausta d'aver donato i suoi frutti, la signora Maria, mentre in quel «passaggio», ora aggraziato e rimodernato, che fu causa della lite, ricamava, in quella pace, tra il damasco di che s'eran dipinte le foglie dell'uva americana, sentí un brivido di febbre e si ricordò che da qualche giorno ogni tanto nella spalla sinistra le si muoveva un'uggia, una pesantezza, che a tratti rapidissimi pungeva come un ago.

Si ritirò in casa. Fu nella saletta, quella che ha le finestre sul Monticello, e si trovò sola, la casa vuota di tutti, si girò intorno alle pareti dove i ritratti dei suoi familiari erano appesi, immobili, e si trovò a pronunciare in un freddo mormorio: – Sono venuta a morire a Vezzano.

Mi raccontò mia madre, in una di quelle notti, questa sua previsione, e la immaginai pallida, terrea, che pronunciava quelle parole guardando i ritratti degli altri Biassoli, ineluttabilmente saldandosi il cerchio, lei la piú gentile, ultima a spirare i secoli passati, le continue monotone vicende, la cosí fitta intricata selva di ricordi.

La sera mia madre dovette mettersi a letto perché quel termometro, tante volte usato dai Biassoli, segnava alto il mercurio.

La Francesca, la contadina davanti casa, e sua figlia Rina furono le prime ad assisterla, insieme con mia sorella Maria Luisa, che scendeva da Vezzano Alto. Dopo cinque o sei giorni che aveva la febbre mi avvertirono. Partii dall'ospedale dove abito e lavoro e arrivai a Vezzano.

La trovai in quella sua stanza che aveva una finestra specchiantesi laggiú nella Magra, una piccola finestra, il comò dal vetro corroso, il letto di ferro.

Ci avevo pensato tante volte ed ora forse stava avvenendo. Non aveva la febbre alta. Notai subito che parlandomi affannava. Era già in cura da un nostro parente medico, ma mi decisi a visitarla. Non ero piú medico in quel momento, ma, comunque, tanta era l'abitudine che la realtà non mi poteva sfuggire del tutto. Alzai la testa dalle sue spalle, dal suo cuore, smarrito e spaventato: il cuore batteva come precipitasse, alla spalla sinistra avevo udito le bolle dei rantoli. Alla solita malattia dei Biassoli si era aggiunta la disperazione del cuore, che correva, inseguito, ogni tanto fermandosi per riprendere fiato e subito, incalzato, riposo non trovato, continuava a scendere disordinatamente.

Vicino al letto di mia madre c'era un altro letto: quella prima notte la passai lí. Il medico curante sapevo sarebbe tornato il giorno dopo. L'aspettai ansiosamente per sapere il suo giudizio. Speravo ardentemente che, siccome sono medico di manicomio, guardasse le mie apprensioni con benevola derisione.

Ogni parola che mia madre diceva era intercisa, l'affanno troncandole le sillabe, un affanno febbrile, una spasmodica fretta scuoteva il torace.

Non osai dire né a mia madre né a mia sorella il parere della mia visita, mi domandai come mia madre fosse ancora viva.

Venne rapidissima la sera, mi misi a letto vicino a lei. Da moltissimo tempo non mi trovavo cosí, a Vezzano, in un giorno feriale, senza aver prima deciso di andarci. Mia madre respirava con quel respiro ansioso vicino a me ed era attentissima, mai le avevo visto gli occhi cosí intensi, divenuti due mandorle lucide e nere. Nella mia testa vorticavano le interrogazioni, se mi ero sbagliato, riudivo i battiti del cuore, riudivo i rantoli del polmone, mia madre era per morire, non poteva essere diverso. Riaprivo gli occhi a guardarla, ora che era ancora viva.

Mia madre aveva dietro le spalle due o tre guanciali a sorreggerla, a farla stare eretta, e sembrava contemplasse davanti a sé qualche cosa. Non osavo molto parlare perché sapevo che mi sarei tradito, avrei suggerito i miei dubbi, la gravità della malattia. Ma erano mie sciocchezze, mia madre sapeva già. Ogni tanto, la luce elettrica rimasta accesa, aprivo gli occhi a guardarla, finché era viva. Non so piú come venne l'appiglio perché ci si mettesse a parlare, forse venne meccanicamente, io sapendo di lei, lei conoscendomi; non era possibile alcuna finzione. Lei disse, tra l'affanno che la inseguiva, mormorò: – Perché? perché debbo rivedere! – Subito dopo mi disse che sentendosi la febbre, quel dopopranzo, pochi giorni prima, aveva avuto il presentimento che era venuta a morire a Vezzano. Mi disse questo senza alcun dramma, una notizia delle piú comuni.

Non le risposi che un mormorio.

Aveva già cominciato a rivedere i Biassoli. Mia madre è sempre stata tenerissima e fedelissima ai figli, a loro dedita da quando erano nati, ora ritornava ai Biassoli, abbandonati quel giorno piovoso del matrimonio, quarant'anni prima. I figli non avevano piú bisogno di lei, i Biassoli sí. L'ultima viva doveva dare loro, da questo mondo, l'ultimo saluto, doveva rivederli tutti; che rivivessero davanti a lei che ancora respirava, in quegli ultimi giorni.

Non dormí mai per due settimane, luce e notte uguali. Si occupò anche di noi, dei figli, ma con sicura rapidità, di scorcio, per i figli era già da tantissimo tempo tutto chiaro. Ciò che fino allora dei Biassoli avevo saputo, a baleni, tra silenzi, si dipanò davanti a lei con ritmo preciso, come in un pavimento, già prima calcolata la disposizione delle mattonelle. A chi non la conosceva sarebbe forse sembrato che il solo affanno era il nemico che la feriva. Aveva cominciato finalmente senza alcun timore, senza aver il dovere di pensare agli

altri, a dire se stessa, a essere soltanto lei, in quegli ultimi giorni, l'unica vacanza che ebbe nella vita, aveva
cominciato l'ultimo canto dei Biassoli prima di lasciare
per sempre la terra, prima di abbandonare in eterno la
voce, la quale invita gli altri viventi ad essere testimoni
della propria vicenda.

Credo che numerose immagini segrete, non dette
mai a nessuno, vide anch'esse nell'agonia dei quattordici giorni, e neppure questa volta le disse. Io seguivo,
dal letto vicino, lei appoggiata ai guanciali, affannante,
gli occhi divenuti vivissimi e brillanti, grandi e fermi
come non ne vedrò mai piú, seguivo lei che guardava
davanti a sé e vedeva con in piú quella precisione data
dal tempo, che sfronda i rami fallaci. Era sempre stata
cosí forte e presente, fu ed era cosí cattolica che le cose
intime, le piú vive, virulente come una ferita che non
si rimargina, non si dicono né si diranno mai, perché
anche se assolte, anche se ispirazioni della natura, furono peccato. Io la seguivo dal letto vicino. Mi era sparito ogni presente e passato. Vivevo solo per lei.

Sempre, poi, ho ringraziato non so chi di avermi
fatto assistere, di avermi permesso di essere vicino a
mia madre negli ultimi quattordici giorni, di essere
stato con lei mentre moriva, avermi lei guardato negli
ultimi istanti, aver visto il suo sorriso anche in quel
momento giudicatore, un sorriso nel quale c'era, insieme alla visione della crudeltà della vita, una paziente
rassegnazione, la consapevolezza del nulla.

Col passare degli anni avevo domandato quasi tutto
dei Biassoli, che cosí poco avevo conosciuto, avevo rat-
tenuto ciò che mia madre a lampi mi aveva detto. E
proprio in quei giorni, quasi che il destino si volesse
divertire, mi ero ammalato della malattia dei Biassoli.
Chi mi avesse visto dava probabilmente il giudizio di

salute, invece, precisamente in quei giorni, sottilmente acuta, maligna, si era in me affacciata la solita malattia consanguinea, che non mi impediva di stare in piedi, di essere vicino a mia madre, ma sentivo in me la compagnia di un sorriso ghiaccio, un trillo ghignante. In mia madre, perché aveva osato vivere dieci anni di più dei cinquanta, c'era anche il cuore che batteva come il figlio della Rò di Cavana quando fuggiva giù per i campi, lontano dai fascisti venuti ad ammazzarlo.

L'affanno fu compagno delle immagini dei Biassoli, sul riepilogo, sull'ultimo addio. Mi accorgevo che distingueva le scene. I giorni erano stati tanti, ma alcuni attimi, alcuni minuti, alcuni episodi, erano il risultato, ciò che era rimasto. Mia madre aveva avuto alcuni innamorati del paese, innamorati di quel tempo, che di lontano, all'uscita della chiesa, osavano per un attimo cercare lo sguardo.

Mia madre aveva visto suo padre crudele, ligure; l'aveva visto che andava, anziano, la moglie morta da numerosi anni, come un giovanotto a ballare, e lei e la zia Virginia, le stesse che tra i battenti ascoltavano, pallido il batticuore, la disputa delle mille lire false, ne aspettavano il ritorno, e si vergognavano, una vampa di pudore le imporporava interpretando ciò che gli altri dicevano, e intanto prima avevano immaginato, con una sorta di gioia peccaminosa, quando lui, uguale a un giovane, i baffi fieri quanto gli occhi ferigni, entrava nel ballo e a una giovane contadina abbracciato tra gli altri danzava, caldo tra la calda folla che seguiva la musica.

Mia madre, mentre il cuore le correva, vedeva contemporaneamente se stessa e la zia Virginia che aspettavano, l'aura di quell'attesa, il signor Ippolito azzimato uscire per il ballo, vi era rapida la sequenza della disputa, subito l'indugio a immaginare il calore che in quel momento lo beneficiava, e, acerba, presto, la vergogna, gli occhi di suo padre che fuggivano quelli di lei fanciulla, il ricordo di sua madre che, cosí bella e inesprimibilmente delicata, dormiva sotto la lapide del cimitero di Vezzano Ligure.

Queste immagini non erano ricordi ma figure che davanti a lei si muovevano, vive, presenti, la realtà cosí com'è in ogni secondo, e con in piú la risultanza, il grumo, la verità, la farina passata al sottile setaccio di tanti anni.

Erano le figure amate che la sua natura negli anni aveva fatto precise e nitide, non piú modificabili, l'affetto le rendeva ancor piú precise, i peccati splendevano come i pregi, le debolezze erano ugualmente illuminate che le virtú. I personaggi principali si presentavano piú frequenti e rimanevano davanti piú a lungo, non avevano maggiore statura di quelli secondari. Non era ricordare, era vivere, le figure se non erano di carne, non erano neppure visioni, la verità che si è fatta figura, il passato inestinguibile che riviveva ed essendo stato rinchiuso quarant'anni nell'animo della signora Maria aveva preso l'ordine e la luce di lei stessa.

Per la prossima morte tutto si ripresentava a liberarsi.

La signora Maria con l'affanno, il cuore che rotolava, con un'energia indomabile che mai avevo sospettato possedesse, a ciascuno ridava soffio, restituiva al mondo ciò che un giorno aveva preso. Io che le sono stato quasi sempre vicino per quei giorni sono quasi sicuro che ci fu un ordine anche nello uscire di tutti, come si era svolto nel tempo cosí si presentavano per di nuovo respirare e vedere.

Mia madre era stata corteggiata prima che si sposasse, prima del fidanzamento con mio padre, da un giovane del paese, il quale, dalla torre smozzicata di Castruccio, sopra l'orto piú alto, dove l'ombrello di rose a ombreggiare la panca di marmo rendeva piú dolce e misterioso il luogo, lasciava cadere dei bigliettini che la futura signora Maria guardava e ripudiava e poi ne fu lusingata, ma dopo, negli anni venturi, quando scoperse esistere l'amore, che il sacrificio cattolico cosí spesso contrasta e opprime.

Era un giovane che aspirava ad innalzarsi, spronato e morso dall'orgoglio e dalla testardaggine ligure. La futura signora Maria era modesta e umile, in quella casa dei Biassoli dove l'idolatria era per il casato, per il figlio maschio, l'unico, Alfeo.

La Maria sapeva di quel privilegio, che lei cosí doveva comportarsi, impossibile fare diverso, che si sarebbe lacerata senza vittoria contro il signor Ippolito, suo padre, e perfino le zie ispide sarebbero divenute, implacabili, e Alfeo, il gentile fratello, l'unico che l'avrebbe compresa, era debole, incapace ad aiutarla, anche a lui l'ubbidienza indicata fin dai primi balbettii.

Cosí, appena la Maria uscendo di chiesa alzò gli occhi verso il giovane, già le era assai aver accontentata quella curiosità, aver giudicato, e con calma aver inorridito all'ipotesi che il padre per una qualche strana ragione le avesse indicato proprio quello.

Ed ecco, tra questo fuggevole episodio, presentarsi la zia Lisetta che con lei stessa esce di chiesa, tutte e due sulle spalle gli scialletti ricamati nei lenti dopopranzi, la zia Lisetta con le sue vicende, il segreto del suo cuore, lei cosí delicata e il vedovo sanguinolento e amato, ecco il mistero, l'oscura forza della vita, la passione nei petti fragili può essere piú compatta di una fiamma, una vampa che essi senza bruciarsi alimentano, ecco la zia Lisetta che cammina leggera, e, quando a dolci passaggi, sorride, sembra che nel grigio del cielo si apra il dono dei raggi; e il suono delle sue parole tenere di femminilità, le sue bianche dita uguali a bacchettine, diafana musica che conduceva il nero vedovo sangue.

Subito, subito, al lato, seguito della danza, Oscare nella piazzetta, il beffardo, il bellissimo, l'unico che osasse deridere, prepotente di se stesso, che se ne va senza temere, beffardo sorriso contro la sventura, trionfatore finché la gioventú in lui brilla. *Oscare*, il cui nome per tutti gli anni della vita della signora Maria sarebbe stato sinonimo di quella ribellione che, segretamente amata, si paventa veder luccicare negli occhi dei figli, di quella ribellione che lei sapeva esserci sotterranea, sorda e temibilissima nel suo sangue, franca e generosa in quello del marito. Ecco *Oscare*, l'emblema, la disperata libertà che vuole la vita, costi pure miseria e rancida morte. Vezzano era un paese con quegli usi, quella malsana penuria, quei timori blasfemi, quelle giaculatorie sempre piú ripetute a memoria, dove l'egoismo polverosamente si è cristallizzato. *Oscare*, amato dalle donne del paese, dalle piú belle, dalle prorompenti gaiezza, lui solo, in quella caligine, in quell'eterno ripetersi delle ore, era ardito, gettava con le sue azioni all'aria i privilegi da troppo tempo non piú validi, il valore che li aveva conquistati ormai raffreddatosi, cenere priva di scaglia, polvere piú povera di quella dei morti.

Mia madre, nella sua camera che già fu di sua madre, dalla finestrella della quale, montanara, laggiú, proveniente dai plumbei maestosi monti, si spiegava la Magra, era venuta a morire a Vezzano, come una signora quale era, nel risucchio dei secoli, nobili per il tempo, per le morti di cui sono fitti, i dolori, le rapide gioie, per la storia, nella quale è felice chi ha pensieri, chi giudica e paragona. Era ritornata nell'ovile da cui era sorta, alla maledizione da cui era nata, nel nido di quell'egoismo e minata saggezza che ha per compito di rifiutare la vita, l'intelligenza usata soltanto perché continui una fredda lussuria, i Biassoli schiavi di un piccolo privilegio... e mentre cosí la signora Maria giudicava nell'affanno che scuoteva il petto ma non il sereno fluire dei pensieri, contemporaneamente enumerava tutte le gentilezze dei Biassoli, neppure una particella di quell'egoismo era stato acquistato senza dolore, senza comprensione, le altre famiglie di Vezzano dello stesso censo erano di fronte ai Biassoli prive di consapevolezza, torbido lo specchio della loro virtú... e intanto che la signora Maria cosí giudicava nasceva l'imperativo cattolico del perdono, chi giudica proprio lui il peccatore, stolto chi si compiace dell'intelligenza, quell'intelligenza dei Biassoli che era stata buona soltanto a rendere infelice la serva Clementina, che se ne era cibata.

Io mi sdraiavo nel letto vicino a quello di mia madre, e a tratti mi trovavo a considerare se essermi ammalato proprio in quei giorni della malattia dei Biassoli non era una benevolenza del destino perché forse, se il verme sottile in quei giorni non mi avesse serpeggiato, il sangue di mio padre avrebbe trionfato, non avrei sopportato per quattordici giorni intridermi fino al midollo della maledizione dei Biassoli, costretti a pagare un povero privilegio di poche terre, costretta l'ultima, mia madre, prima di morire, a dover abbandonare i propri figli, per ripetere inflessibilmente quel maledetto mondo, dove, appena la felicità della natura rigoglia, la voce dominante delle streghe sforacchia l'anima e la costringe, col ghigno delle loro giaculatorie, a inginocchiarsi lacrimante, gli occhi rivolti verso Qualcuno, da nessuno mai conosciuto.

Il cuore di mia madre dietro quel petto fragile continuava ad affannare rincorrendo il sangue, perdendolo e riafferrandolo, quel sangue dei Biassoli malato che pure era cosí diverso e forte; seduta sul letto, il cuore come un levriero che continua a correre per difendere i nati, rispondeva ai Biassoli che si presentavano per rivivere l'ultima volta in una persona che li aveva visti, li conosceva, ne faceva parte, nell'ultima parente, ultimo sangue ancora caldo. Io la seguivo a tratti, io suo figlio, che qualcosa avevo anch'io dei Biassoli, e timidamente mi pareva che lei mi lasciasse in eredità una parte della vita passata.

Mi intercalavo tra quelle visioni che erano cosí limpide, che erano piú belle della vita, vino di quell'uva, ultima cantina da tanti secoli nel grigiore umido, a ogni secondo del tempo piú veritiera.

Le mie parole timorose, col cuore che anche a me batteva non di morte ma di commozione, domandavo egoisticamente i particolari che mi mancavano e mai avevo osato domandare. Domandavo maggiori ragguagli su Oscare, e mia madre, nell'affanno fatto di scalini che ogni sillaba il cuore annaspa, mi rispondeva la purezza della sua verità, lei bambina che già giudicava le passioni, quell'anarchia che segretissima serpeggiava con attutita ma non vinta virulenza anche nel sangue dei Biassoli, mi ripeteva come lo vide quale bandiera che il vento agita con un impeto che ha del disperato, nessuna la direzione, e tutte forti, unica verità un travolgente amore alla vita, il quale sempre si manifesta come apparente barbarie; perché Vezzano, cosí composto, lugubre, impediva ogni speditezza, e Oscare rifiutava quel maledetto dovere di eseguire con lo scrupolo di un prete tormentato. Descriveva Oscare come la luce che in apparenza è del diavolo ma lei stessa illumina il sospetto, rappresenta la liberazione, ricominciare dalle prime notizie, mettere tutto alla prova.

Io, avido, domandavo dei documenti, mia madre rispondeva che non ci aveva mai parlato, l'aveva soltanto visto, quella volta in piazza, che era andata, come periodicamente succedeva, a trovare la zia Lisetta, per la gita alla Cava, loro ribellione, loro rompere le eterne costrizioni, sorpassare « il campo », limite della chiesa.

E mia madre, continuando quell'affanno che era come una musica che perseguita le piú riposte fibre, insaziabile a divorarle fino all'ultima seta, dopo aver accontentato quel suo figlio che lei sapeva di piú assomigliarle, riprendeva la maledizione dei Biassoli: i personaggi dominanti furono suo padre e, in ombra, Alfeo. Tutti gli altri, vivissimi in quel momento che si presentavano, erano come dipendenza di quel tizzone, cosí odiato come amato, certamente non confessato con le parole neppure in quegli ultimi giorni.

La grande domanda che mia madre eludeva e sempre piú impellente si presentava fino a farle dire, a lei: – Ma io sono il diavolo? – fu se i Biassoli erano buoni, se nei frangenti culminanti la bontà sovranamente s'impadroniva della circostanza o se l'orgoglio ispido e aspro scorrazzava garrulo e vile. E ogni volta riconosceva la vittoria dell'orgoglio, di suo padre che mistificava il pesante contadino appiccando il fuoco a fogli da mille falsi, e allora, subito, immediatamente venivano le voci e i volti delle zie, delle sante, di lei stessa, di Alfeo, a spiegare la infinita sopportazione dei Biassoli.

99

Ed ecco don Filiberto, piú torpido del padre, ma anch'egli nel solco, a spalleggiare l'orgoglio, e lui, Lui prete, e veniva davanti il suo volto grassoccio, umano e indecifrabile, le mani racchiuse sul petto in semi-preghiera, innanzi tutto vinto da una profonda incertezza, la quale mai si disquilibrò generando tragedia.

Come essere a bordo e il bastimento dondola nella navigazione, io vicino a lei, ogni tanto a raccattare qualche murmure della sua scia, io quasi estraneo poiché la mia parte era divisa tra quattro fratelli e dei Biassoli sapevo solo ciò che mia madre mi aveva detto con appena di mio proprio qualche immagine della zia Anna e, ancor meno, della zia Virginia.

Le ore scorrevano, avevo dimenticato tutto, il mestiere, le occupazioni, le passioni, c'era soltanto mia madre, eravamo nel 1947, l'Italia era ancora trafitta da un periodo intricato di dolori, ai quali avevo partecipato; mi ero dimenticato di tutto, soltanto mia madre, vivevo vicino a lei.

Il suo affanno era come in una battaglia quando vicendevolmente i soldati si dissanguano e le sorti continuano incerte, ambedue le fortune svenandosi.

Ambedue nei letti sdraiati, avevamo alla tempia sinistra la finestrella, occhio di lucignolo su quel paesaggio della Magra. Qualche volta affacciandomi scoprivo la dorata bellezza dell'autunno, di quell'autunno che la prossima morte di mia madre mi avrebbe fatto divenire unico esempio: quanto la natura, dopo che ha donato, grondi di tenerissima bellezza, come, dopo una vita fruttifera, l'inverno vicino, non ci siano che richiami e ritorni, letture di leggi, distinzioni, indicazioni, nulla potendo gli umani al percorso delle correnti, solo loro capacità indicare quanto le piú feroci, quali le dolci, quali le possibili di improvvisa ira.

Mi affacciavo qualche volta alla finestrella: là in fondo c'era la solitaria piazzetta del Monticello che aveva visto ogni settembre arrivare Gioà; i suoni vi arrivavano come provenissero da un lontano martello d'argento. In quei giorni, all'ombra di una casa, disposte in cerchio, delle ragazze cucivano, chine le nuche sulle tele del loro corredo.

Mi rimettevo vicino a mia madre, quella boccata d'aria fresca mi aveva dato nuovo coraggio, tentavo distrarla, tentavo di credere non fosse vicino alla morte. Una di quelle volte mandai a prendere dei giornali illustrati e poi glieli diedi. Lei cominciò a sfogliarli (era bella, era divenuta ancora piú bella, il volto delicato e puro, gli occhi piú intensi e profondi di una luce), attenta come sempre, in qualsiasi circostanza.

In una di quelle riviste c'erano le ragazze vincitrici del concorso di bellezza per la regina d'Italia; erano in costume da bagno, tutte insieme, poi a gruppi, poi la sola vincitrice.

Mia madre sorrise paragonando il tempo, la bellezza, la morte, rifletteva alle gioie del mondo, all'innocenza che sempre ebbe e avrà la gioventú, alla invidia sconsolata che gli anziani hanno per lei; e intanto indovinava il futuro di quelle ragazze, erano solide e fragili, splendevano rapide, troppo rapide, come il sole che presto china, lui cosí alto, e le lacrime, quante lacrime sarebbero corse tra quelle ciglia superbe di rimmel: e sorrideva riflettendo che qualsiasi considerazione non vale a rattenere il corso fatale.

Mia madre riprendeva il corso della sua vita, là dove l'aveva lasciata, a quel dopopranzo piovoso, quando fuggí con lo sposo lasciando Alfeo nella smarrita solitudine di Vezzano, nello spettro della cambiale firmata.

Quel giorno di nozze che fratturò la sua vita, che come da crisalide in farfalla volò via da Vezzano lasciando tutte le solitarie lacrime a versarsi, tutte le pure nefandezze, fuggendo dalla morte, fu l'episodio che lacera il cuore, piú forte che la morte di un figlio, ché infatti la morte di un mio fratello ancora infante e come lei col marito, avvolto il bambino in un mantello, lo portarono di notte a Pisa, all'Ospedale, per tentare di salvarlo, era un racconto drammatico ma aveva ormai della favola, di una leggenda che la memoria alimenta, la sua partenza da Vezzano invece era rimasta intatta, fresca, con la tinta della tragedia incombente, una tragedia che, per quella fuga, non avrebbe avuto la signora Maria spettatrice.

Trovatasi all'improvviso, lei fanciulla, tenuta nei ceppi, e, ancor piú, dimentichi con finzione della sua persona spirituale (perché tutto doveva andare al maschio, ad Alfeo, a un Biassoli, ultimo, erede, trasmettitore del nome), trovatasi all'improvviso, in quel giorno di nozze, regina, vicino il forte marito, accadde che non solo era la sua festa, ma, la sua mente, adatta a distinguere, dispose con infrangibile giustizia gli elementi della verità: vide Alfeo, piú debole di lei, un passerotto che batte poveramente le ali, presa una gambina nel far della notte alla tagliola; vide il nibbio suo padre, ligure testardo, dongiovanni campagnolo, che di continuo confondeva orgoglio e onore: e la zia Virginia, quel giorno di nuovo miracolosamente animata, ma tarpata la sua mente nello zitellaggio, gli occhi velati dalla ragnatela dell'inutile attesa; vide quale candore splendesse nel viso della zia Lisetta, bella e santa, il suo lucignolo per quell'« omaccio » cambiatosi in fiamma, ed ora, mentre il pranzo si svolgeva, le ricambiava lo sguardo con una fraternità che non allumava in nessuno dei suoi parenti; vide la zia Anna che, quasi la Maria rappresentasse le sue figlie, rubate prima di sposarsi, quel giorno, lei bisbetica e eccentrica, era piú calma di tutte e le aveva dato alcune occhiate quasi virili, tanto che la signora Maria, pur ripugnando ogni vile interesse, pur scacciato quel pensiero, aveva con chiarezza letto in quel volto, duro contro il destino ma profondamente soave: « A te, piccina, lascerò tutto ».

Non in chiesa, dove il ghirigoro mondano contese con successo la luce alla verità, ma a quel pranzo di nozze fu dove batté l'ala della prossima tragedia, dove si annunciò la morte dei Biassoli, colpito chi dall'età, chi da inutili vicende, chi dal passato, chi dalla sottile malattia.

Lei, la Maria, la piú umile e schiva, si salvava, volando via con quel forte marito che dalla febbrile accensione dei Biassoli mai sarebbe stato toccato, lui ignorante degli steli lenti dell'inverno gracili per la trina di rugiada, ignorante dell'immobilità di secoli.

Quel pranzo, nella sala maggiore della casa dei Biassoli, mentre l'acqua grondava fuori come il cielo spremesse tutte le lacrime, fu la scena, in ogni attimo e sillaba densa di giudizi e ricordi, che divideva il passato dall'avvenire, staccava la signora Maria, come allora nascesse, da Vezzano, e, il pranzo finito, se ne sarebbe andata per il suo destino.

Ora, mia madre, seduta sul letto, con l'affanno che del suo petto faceva un organetto bianco e maledetto, le costole delicate costrette a ubbidire a un diavolo sulfureo che a ogni tratto muove la sferza, rivedeva tutto ciò, e come in quel giorno essa giudicava e osservava, umilissima tanto piú e schiva ma sempre lei, rapidissima, cosí ora era costretta a tutto rivedere, e anche lei stessa, in cima alla tavola, vestita di bianco, il marito al suo fianco che si domandava con dolore in quale cattivo paese era vissuta la sua sposa se, proprio il giorno delle nozze di un'unica figlia, si mandava, curando che la data non si sbagliasse, il protesto di una cambiale, e chi faceva ciò era un quasi prete, anche se spretato, un don Niente è vero, epperò consueto, per lo meno conoscitore di quel comandamento che non vuole che sia fatto agli altri quello che non si vorrebbe fatto a se stesso.

Mi affacciavo ogni tanto alla finestrella dei Biassoli: l'autunno serenissimo continuava, le foglie d'oro cadute dai rami sembravano ancora bearsi del sole, aprissero gli occhi grandi a benedire, dichiarare la soddisfazione di essere state nel mondo. Laggiú, a strapiombo, nella piazzetta del Monticello, nell'ombra della casa, le nuche chine, le ragazze a cucirsi il corredo, accostate tiepide e assorte le une alle altre in una ellissi, un tavolinetto nel centro a unirle e distinguerle.

E in quei giorni la prima volta mi scoppiò la felicità quando il dottore curante affermò che mia madre poteva guarire. Alle sue parole, nonostante anch'io avessi poggiato l'orecchio sul suo cuore, mi scoppiarono nel petto i mortaretti. Il medico mi ripeteva il suo favorevole giudizio mentre lo accompagnavo a casa, eravamo alla curva, davanti al « campo ». Fu tale la felicità che lo salutai; dissi: – Torno a casa –. Era vicina la sera. Mangiai a cena insalata e pomodori, bevvi il vino di Corongiola, tutto risorgeva, mi misi a cantare, non fui mai cosí allegro.

Mia madre, di là, nell'altra stanza, con lo stesso affanno, bianco il volto come un giglio, sorretta dai cuscini, continuava a rispondere ai Biassoli.

Ero felice di gettar via il mio pensiero.

Era invece giusto il tempo che mia madre morisse per la sua dignità, per l'onore che i Biassoli avevan tenuto sull'altare piú sacro dell'ostia.

I suoi figli, le due donne e Pietro, si erano sposati, avevano la loro famiglia. L'unico che l'avrebbe dovuta proteggere ero io. Mio fratello Pietro era cosí buono che riusciva anche a provvedere a mia madre, in tutti i particolari meticoloso. Erano anche tempi tremendi, l'Italia lacerata in ogni membro dalla recentissima guerra, nella quale ogni stiletto che di nuovo le si avvicinava era una giustizia. Io ero, lo debbo con vergogna dire, un poeta, ero incapace a proteggerla.

Era tempo mia madre morisse, un danno rimanesse viva; non piú a fare nulla nel mondo, avrebbe ritardato la vita degli altri; il suo dovere era andarsene, dopo aver ubbidito al richiamo dei Biassoli; andarsene guardando me che piangevo e la chiamavo.

Dopo poche ore che il medico curante mi aveva dato speranza, esauritesi quelle ore di gioia, mi rimisi nel letto vicino a mia madre, la rividi ancora piú bella, piú estranea a ogni giornaliero interesse, l'affanno la inseguiva come una torma di cani.

Di noi quasi non si ricordò, lo sapeva che eravamo forti, figli di nostro padre, perfino di me non si preoccupò, disse a mio fratello che mi lasciasse andare per la mia via. Continuò nei Biassoli, nei segreti che so, e in quelli che non so.

Doveva morire, mi ero preparato alla sua morte piú che avevo potuto. Non avevo capacità di difenderla, io uguale a un Biassoli, la mia ricchezza sentimenti e fantasia.

E in quei giorni ci furono altri attimi di gioia fur-
tiva, allora che, per esaurimento del mio giudizio, per
me stesso mi trovai a credere che mia madre guarisse.
Quando ero arrivato a Vezzano e l'avevo visitata, a-
scoltando da medico il suo cuore mi ero detto nell'an-
goscia: « È per morire », ma, passando i giorni, veden-
dola cosí forte e indomabile, lentamente mi erano sorti discorsi di medici circa la misteriosità del muscolo
cardiaco, quando capita diagnosticare un cuore prossimo alla fine e invece continua, parvenza di miracolo,
ancora per tanti anni. Mi dissi che mi ero sbagliato,
non capivo, mai avevo distinto. Cosí di nuovo mi librai
nel cielo della gioia, trasportai me stesso nella felicità
della musica, quando libere note fuggevoli toccano la
seta della terra.

Mia madre affannava sul letto come un auriga, lei
diversa da ogni vittoria. Furono giorni lunghissimi,
brevi, di un sogno. Beffarda era la malattia che intanto
pungeva me, la malattia dei Biassoli, e mia madre si
toglieva di nuovo un momento dalla sua storia per dir-
mi che mi sarei dovuto curare, ma, vicino alla morte, la
fantasia nell'ultimo vortice dei Biassoli, le ore contate,
non aveva tempo su di me sviluppare quell'ansia e dolore che in passato cosí a lungo ci furono, i suoi occhi
batterono, tra l'affanno fermandosi a considerare que-
st'altro episodio della sua vita, e la folla dei suoi morti
chiamandola ad essi rispose, ogni tanto di nuovo, tra
le spire, a me sorridendo con una malinconia lieve come un'ala di insetto.
Intanto in paese si era sparsa la notizia che la signora
Maria stava morendo. Nelle case dei contadini gli anziani parlavano di lei, raccontavano del suo matrimo-

nio, dei quattro figli, risorgevano le immagini che si e-
ran fissate e riposavano nel loro animo, davan giudizi
sui Biassoli, sulla loro purezza, sul controllato orgoglio, risorgeva la figura del giovanissimo Alfeo, che
tutte le candele già accese intorno alla bella e malinco-
nica testa, il soffio della morte aveva fatto sonno; si
parlava della zia Virginia, della zia Anna, della sua di-
spettosità, forte quanto una quercia, si ricordava, con
una strana irragionevole reticenza, la zia Lisetta, si diceva del signor Ippolito, severo e damerino, e, qualcu-
na tra le vecchie descriveva la delicatissima bellezza
della bambina sua moglie, la Clotilde, cosí presto im-
mersa nel cimitero di Vezzano Ligure, cosí presto che
i suoi occhi, sotto terra, dovevano continuare ad essere
lucidi di dolcezza.

Per le case di Vezzano mormoravano in quelle sere
tutte le vicende dei Biassoli, il piú vecchio aveva piú
lontana la vicenda, i giovani lieti nel ricordare la spavalderia di mia sorella Tilde, la bellezza della Maria
Luisa, la forza di mio fratello Pietro.

Ricordavano anche la Clementina, l'invidia che avevano avuto per lei, quanto era superba per avere confidenza coi Biassoli, uguale a una suora che non vuole
con facilità si parli del suo Istituto, e, subito, appena
sorta la Clementina, ripetevano le immagini piú pure
della signora Maria, costretti a stupirsi trovarle cosí
vive, e, nel silenzio dei giovani che ascoltavano quanto
una fiaba, di quando dalla chiesa, lei minore di vent'anni, uscí bianca, con lo sposo forestiero, lei fino a un
giorno prima cosí schiva da incutere timore, ora sorridente, verso tutti benevola, allegra e insieme triste di
abbandonare Vezzano.

Quando questi vecchi, descrivendo, pronunciavano:
« Signora Maria » c'era nell'accento qualche cosa di in-

contrastabile, di profondamente immutabile, riferentesi a un mondo che era cosí dolce e severo dentro di loro che nessuna ironia o leggera crudeltà della gioventú che ascoltava avrebbe potuto sfiorare, tanto meno contaminare, un mondo dove la virtú, e ciò che è sacro, camminavano insieme.

Seduta sul letto, la fila di cuscini dietro le spalle, in quella camera osso secco vivo ancora dei Biassoli, il cuore che fuggiva e chiamava invano tentando aggrapparsi a fili d'erba che si strappavano, mia madre si asciugava il sudore con dei panni bianchi felpati che mi divennero sotto gli occhi come sudari, quasi disegnato il viso col rosa del sangue.

Allora, in una di quelle volte, essa prendeva l'avvio per assettarsi, domandava pettine e specchio.

Mi assentavo. La ritrovavo con una delle camicie spessamente orlate di trina, l'onda morbida dei candidi capelli, un nuovo scialletto di lana, lavorato a fiorami con l'uncinetto, sulle spalle, l'occhio e la bocca sorridenti di non so che cosa, ed era cosí bella, cosí gentile, che solo la potevo paragonare alla purezza della sua anima, uscita vittoriosa e tersa dai peccati che, avidi di lei, avevano tentacolato le loro branche.

Accadde un dopopranzo che, mentre finiva la sua toeletta, fosse annunciato il prete di Vezzano Basso.

Era un parroco, un vero prete, aveva preso la chiesa completamente distrutta di morale e materia; si era messo all'opera, un muratore che fa la casa a se stesso, ogni sasso, calce, trave e tegolo usato con energia, dimostrando la forza della Chiesa.

Mia madre soleva pregare nelle panche tra le popolane. Il nuovo parroco aveva presto distinto. Era un prete. Vezzano Basso, nonostante ancora madido di odi per la guerra, per i rastrellamenti tedeschi dal precedente prete forse favoriti, aveva sentito il ritorno della mano di un pastore.

Mia madre disse che si avanzasse. Il prete attendeva nella prima saletta. Lo invitai a seguirmi. Percorso un corridoio, fummo davanti a mia madre, e dal suo volto capii che ero per essere spettatore di qualche cosa. Mi misi in piedi in un angolo della stanza.

– L'aspettavo da piú giorni, – ella disse.

La bellezza di mia madre in quel momento era cera e madreperla, gli occhi tranquilli a penetrare l'altrui spirito, con quella luce che si teme e si spera che guardi; l'ovale del volto tagliente di energia.

Mia madre aveva cominciato a fare, per la salvezza dell'anima, o per favorire i suoi figli, o per un altro proposito che non conosco, una speciale devozione, per la quale doveva ogni tre giorni comunicarsi. Il parroco sapeva di questo. Invece, lei ammalatasi, si era disinteressato.

Era un uomo alto, forte, energico, un prete nel fisico e nel volto, pronto di mente, e per di piú in quell'età, passata la cinquantina, quando, in chi è religioso, i sensi ormai vinti, la religione assoluto dominio.

Non ho mai visto un uomo cosí smarrito, disse delle scuse; mentre le diceva si vergognava.

Mia madre era spietata, vidi la tremenda forza del cattolicesimo. Mia madre parlava con le parole intercise dall'affanno, le parole perforavano la verità, indicavano la mancanza del dovere, verso di lei che era per morire e tentava salvarsi, Lui le aveva proibito la mano. Le parole facevano luce su ciò che è sacro, su i doveri intransigibili.

Anch'io, come il prete, mi dimenticai che mia madre

era malata. In quel momento la vidi come mai, *mai* l'avevo conosciuta. Compresi che la sua pietà, la sua pazienza, il suo tacitare, provenivano non dalla debolezza ma dalla sua guerra.

Era un prete che non si meritava quella prova, la quale accrebbe la sua fede.

La signora Maria, nel disperato affanno, in quella punizione, nella maledizione dei Biassoli, l'ultima che ridoveva dar pensiero al lunghissimo sangue, continuò, uguale a chi è inseguito per la costa dirupata di una montagna.

Scoprivo che aveva la forza di nascondermi le immagini piú segrete, gli attimi con il marito piú liberi e profondi, e io, in attesa, facendo, suo figlio, finzione d'esser nel sonno, una notte, ancora lei come di giorno a imprimere di sudario i bianchi panni, lei seduta, librata sul letto, in quell'ultima camera dei Biassoli, udii, dopo aver visto il profilo di mia madre che stava sorridendo e rivivendo e dolcemente perdonando e comprendendo se stessa e il marito e la loro gioventú, udii, dopo un altro silenzio, udii acuta, come fosse presente, lí davanti, lacerante, voce che avverte e impetra, grondante di dedizione, di tutta una vita passata insieme, nella ferrea prigione della virtú: – Candido! – essa disse, che era il nome di mio padre.

Io ancor piú tenni gli occhi chiusi, figlio di mio padre e di mia madre, e questa dichiarazione d'amore, mio padre morto da molti anni, mia madre con i capelli bianchi, io già con le rughe, mi faceva sorridere di una allegria e avevo chiaro il pensiero che finché il cuore batte l'amore è uguale alla primavera.

Ma anche se ci furono piú interruzioni: il prete, suo marito, noi figli, i generi, i nipoti, tutto ciò fu per la pazienza, per la carità, per il dovere.

In quei giorni assolutamente fu dei Biassoli. Si avvicinava la morte, furono le sue giornate di vero abbandono, nelle quali non ebbe timore a occuparsi di se stessa e della famiglia da cui proveniva, ciò che non aveva mai potuto fare in quaranta anni dedicati al marito e ai figli.

Venne mio fratello a trovarla, passò la notte vicino a lei. Mio fratello era piú giovane di me ma era il capo di casa. Tutta la notte si parlarono. Quella notte soltanto si occupò con Pietro della *sua* famiglia, di quella nata da lei, ogni particolare fu intenso, ogni consiglio, profondo di ragione, era un ordine, ogni parola fu dettata dall'amore, un amore accompagnato da un pensiero cristallino, che poteva apparire spietato.

Mio fratello bevve tutte le sue parole, sapeva già, e in quella notte sentiva quanto il cuore, quel cuore che affannava fuggendo chiamando resistendo, era uguale a un manto che riscalda tutti coloro hanno la fortuna d'esserne avvolti.

Mia madre spiegò come erano fatti gli altri suoi figli, come lui stesso si doveva condurre, precisò ogni particolare, e pur non toccando alcun interesse, dalle sue parole ne derivava la condotta. Lei cosí meditativamente pieghevole come la cera, cosí consapevole alle cattiverie degli uomini da indovinarle già prima che si muovessero, ora, con l'amore divenuto puro pensiero indicava su tutti i fatti della nostra famiglia.

Pietro all'alba partí. Io stavo scendendo dal mio « villino », una stanzetta che mia madre quasi da quando ero ragazzo mi aveva destinata, arrampicata sui tetti e che aveva alla sinistra della finestrella un famoso alveare. Lo incontrai mentre usciva dalla stanza di mia madre; si voltò a riguardarla, mia madre gli sorrideva, forse non vedrò mai piú negli occhi di due persone tanta riconoscenza reciproca, una completa fiducia, un addio che era da parte di mia madre la sicurezza di lasciare sulla terra una parte del suo animo.

Io, al posto di mio fratello, mi rimisi ad assistere mia madre. Vidi che ripensò un poco, già quasi distrattamente, a Pietro, a tutti gli altri viventi, e, con felicità, in quel sudato tormento, in quell'agonia che la trasumanava, ritornò a chi le faceva appello, erano le ultime ore, ai Biassoli. Ora le figure non venivano piú verso di lei con la maschera della tragedia, sembrava anche loro perdonassero e invitassero, non chiedevano, conversavano con la piccola Maria, unica rimasta ancora per tanti anni al mondo, tra poco anche lei con loro, scomparsi tutti i Biassoli.

Mi accorsi che la disputa, il contrasto, l'impeto di rivivere in quelle immagini si era attenuato; quell'idillio voleva invece dire per me la tragedia. Mia madre era per morire. Sarei rimasto solo nel mondo.

Mi sembrò che mia madre facesse come il sole d'estate che rosso ma sempre piú freddo e lontano scende nel mare, mi accorsi che si allontanava anche dai sentimenti, erano le ultime ore e, senza averne i rinchiusi pudori, si comportava come un'adolescente, era come stanca di tutto, di tanta feroce virtú, di essere stata cosí attenta a ogni legge, al giudizio degli altri, di avere avuto tanta cautela, aver tanto indovinato gli altrui propositi.

Mi rispondeva, mi parlava con lo stesso suo pensiero, ma non c'era piú in lei quella violenza di tenerezza.

In quei giorni, oasi anche della mia vita, dimentico

di ogni mio interesse, la felicità per poche ore mi aveva avvinto, essendomi senza giudizio abbandonato alle parole degli altri che mi dicevano si sarebbe salvata. Ora non avevo più alcuna minima speranza, era inutile che piangessi ma con una scusa ogni tanto mi allontanavo dalla sua stanza e tentavo infantilmente di consolarmi nelle lacrime.

Mia madre capiva il mio stato ma continuava come un'adolescente che in un dopopranzo distratto segue sue piccole fantasie.

Ogni poco mi asciugavo gli occhi e mi ripresentavo nella sua stanza. Mi accorsi che voleva stare per conto suo. Mi disse che le chiamassi una giovane contadina, la Rina, figlia della vecchia serva di casa, la Francesca. Affettuosa la Rina subito comparve. Le comandò di andarle a prendere un grappolo d'uva di Corongiola, grappoli che erano stesi in una delle cantine della zia Anna, dietro la casa, sopra la cisterna, sotto le torri di Castruccio.

La Rina subito ritornò con il desiderato.

Mia sorella Maria Luisa era corsa alla farmacia per uno stupido medicamento che a me era venuto in mente di tentare.

Le sentii insieme parlare nel dialetto di Vezzano: quanta comprensione c'era in quei suoni! tra quella quasi bambina e mia madre che era per morire! tutte e due dello stesso paese, nate su quei sassi, una consapevole, l'altra istintivamente ubbidiente all'immutabile destino. Erano ritornate intatte le abitudini dei Biassoli, la Liguria, il magrissimo e puro frutto della terra, il piacere conquistato con una lentissima pena; un attimo e un anno di dolore, quattordici giorni di libertà per tutta una vita di feroci catene.

Mi riaffacciai alla stanza e capii dal suo occhio velato che la morte era vicinissima.

Mia sorella in quel momento tornò dalla farmacia.
I secondi precipitavano. Mandai via la Rina. Mia madre ci lasciava. Ora ci guardava come ci vedesse lontani
e irraggiungibili, sempre piú distanti. Capii che tra pochi secondi non avrei mai piú parlato con mia madre.
Le lacrime mi corsero giú. Mia madre mi sorrise; come
in un giorno qualsiasi mi disse: – Non te la prendere.

Anche mia sorella si era accorta che mia madre si allontanava, quanto la fibra del suo dolore fosse divenuta esilissima; protestò con lei con una tenerezza appena un poco rugosa.

Lei le sorrise dolcemente, le significò che non vale
la pena, che non gliene importava piú, che scendeva
nell'oblio.

Furono gli ultimi secondi. Mentre era avvolta dalla
morte tentai disperatamente di impedirlo, ma erano
inutili manovre, mia madre non rispondeva piú. Dove-
vamo pensare a vestirla prima che divenisse rigida.

*Il ritorno di Alfeo*

Il giorno dopo dovemmo pensare al posto al cimitero. Per questo andai al cimitero del paese che è su un dorso della collina, tra gli ulivi. Compii questo ufficio tentando di continuo mandar via il pensiero che mia madre era morta, che non l'avrei mai piú vista.

In casa si era sempre sentito parlare di Alfeo, l'unico fratello di mia madre, morto all'età di ventisette anni, si era sentito descrivere, ripetere le sue vicende con sempre nuova emozione, quasi sembrava l'avessimo conosciuto, che non fosse morto, rimasto giovane, personaggio della nostra adolescenza e poi, coll'aumentare degli anni, si fosse arricchito delle nostre esperienze. Avevamo piú volte vista la sua tomba, una lastra di marmo che portava il suo nome, gli anni e la fotografia. Ora che si era anziani si indovinavano anche i segreti della sua gioventú.

Il becchino mi disse che tutti i posti in muratura del cimitero erano occupati, al di fuori di uno lassú, che non guardai neppure perché troppo in alto.

Ma proprio quella mattina avevo sentito dire che da diverso tempo al paese erano soliti, quando uno moriva, metterlo nello stesso loculo dove era già suo padre o sua madre o uno stretto parente. Facevano cosí: rompevano il marmo che portava il nome, buttavano giú i mattoni che sono dietro il marmo, raccoglievano le vecchie ossa, le mettevano in un cestello di zinco, lo chiudevano e quando arrivava il recente morto ponevano il cestello ai piedi della nuova cassa.

Poiché dunque tutto il cimitero, al di fuori di un posto, era pieno, pensai anch'io di togliere Alfeo che, come diceva il becchino, era ormai poche ossa, raccoglierlo in un bicchiere di zinco e mettere nel loculo di Alfeo mia madre, e, sopra la cassa, sul fondo, mettere le ossa di Alfeo. Mi ricordo che non osavo, poiché gli affetti mi tumultuavano, pronunciare dentro di me la frase: « Mettere le ossa di Alfeo sulla cassa di mia madre ».

Poiché non c'era altra via non posi tempo in mezzo, chiamai il muratore e volli si aprisse la tomba di Alfeo. Mi lusingava la constatazione che il posto dove dormiva Alfeo era uguale a un piccolo salotto: infatti era un corridoio formato da due alte pareti di loculi, di tiretti, uno sull'altro, e la zia Anna con le figlie era proprio davanti ad Alfeo, la zia Virginia da un lato, suo padre Ippolito sopra, un po' verso destra; e là in fondo, ma vicino, da sentirne, se parlassero, comodamente la voce, la dolcissima zia Lisetta. Stupidamente immaginai che anche mia madre, tutti insieme trovatisi, potessero comodamente nei lunghi dopopranzi e nelle lunghe notti parlarsi, stupidamente con la commozione pensai così.

Volli che mia madre fosse con le ossa di Alfeo.


Il muratore era un uomo robusto, quasi ancora un giovanotto, roseo di pelle, leggermente paffuto. Era ricoperto da un paio di calzonacci a da un pullover che nei movimenti presto si accorciò sulla schiena. Cominciò a scalpellare. Scalpellava, sudando, in fretta e in silenzio. Il cemento che contornava la lastra di Alfeo era col tempo divenuto una pietra compatta. Il muratore a un certo punto, fermandosi, disse: – La lastra si rompe, – e mi indicò una quasi impercettibile vena disegnatasi nel marmo.

Gli dissi che rompesse la lastra, ma aprisse.

Dopo che la lastra cadde apparve il muro di mattoni, per quarto, densi uno nell'altro.

Intanto si era di nuovo avvicinato il becchino che era un uomo basso, rosso in viso, la testa pelata, tondo di muscoli e di grasso; aveva una corta giacchettina color oliva. Subito parlò saputo: – Non ci troverete che la « zucchetta » – (zucchetta nel dialetto vuol dire: il cranio).

Il muratore per il lavoro si era di piú imporporato. Il becchino continuò a parlare, derideva i morti, diceva che i parenti si illudono di trattarli come vivi, i morti sono un gruppo di capelli, « la zucchetta » e gli stinchi e non sentono né caldo né freddo. Il muratore ruppe il muro che mi separava da Alfeo. Il becchino, tra un leggero affanno che aveva, aggiunse, come a sorridere della foga del muratore: – Da quarant'anni? non ci troverete nulla.

S'intravedeva che l'esperienza dettava al becchino immagini quali: poche scaglie di legno marcio, ossa, il teschio, e tutto da spazzatura.

Apparve il vuoto, e un'ombra bruna. Vidi la cassa di *piccepain*.

Sin da bambino avevo sentito ripetere con rispetto il nome: *piccepain* come di un legno incorruttibile. In quel momento che si vide la cassa, immobile, intatta, appena scardinata da un lato, e il muratore disse: – Si è mantenuta, è di *piccepain*, – mi ricordai la riverenza con cui avevo udito pronunciare quel nome. Senza dubbio mia madre, che era lei a parlarne, aveva ricevuto quella nozione da suo padre Ippolito, che alla morte di Alfeo non aveva mancato di usare quel legno per la lunga abitazione del suo unico figlio morto di ventisette anni.

La cassa fu tratta fuori, alla luce. Era una giornata di sole e dopo quarant'anni questo la bagnò. Il legno era bruno di grana intatta, asciuttissimo. La cassa fu posta su due cavalletti che il becchino era andato a prendere. Cosí sospesa nell'aria sui due geometrici cavallucci sembrava un limpido gioco matematico.

Le giunture del coperchio con poca forza cedettero. Apparve lo zinco poroso, divenuto morbido. Alfeo, i resti di lui, erano lí dentro.

Il muratore aveva portato, tra i suoi arnesi, anche un paio di forbicioni.

Il muratore capí che io volevo da solo aprire lo zinco; si era ritratto di qualche metro e se ne stava in pudore e grondante.

Lo zinco aveva dei disegni bianchi, degli arabeschi di ossido. Con lo scalpello feci un buco, vi misi dentro le forbici e cominciai una breccia. Ci voleva assai fatica perché lo zinco benché morbido era tuttavia un metallo.

Per la bocca lunga un palmo che aprii vidi del buio e nient'altro; poi mi parve di vedere, lontana, bianca, un'ombra. Era necessario aprire di piú. Ripresi le grosse forbici e feci piú largo il taglio, iniziandolo curvo, per poi aprire meglio. Cominciai a distinguere: un lenzuolo che drappeggiava qualche cosa. Per scostare il lenzuolo dovevo mettere la mano dentro l'orbita che avevo aperto nello zinco. La mia mano si mosse dentro la cassa, ma non ebbi il coraggio di raggiungere il lenzuolo. Poiché sono medico sapevo che tutto, dentro la cassa, dopo quarant'anni, era sterile. Però ebbi paura. Ritirai la mano e presi lo scalpello, quello stesso del muratore, che mi era già servito. Con quello scostai il lenzuolo. Scese lo scalpello verso Alfeo, e il lenzuolo, madido di quarant'anni, si friò; rimasero sulla punta dello scalpello delle briciole, e dovetti insistere finché il volto, che era vivo, apparve. Non vivo, mummificato. C'era lí sotto il volto di Alfeo, con gli occhi marroni, il naso sottile, la bocca con quel sorriso malinconico come aveva mia madre. Lo vidi. Lo riconobbi. Sorrideva consapevole e paziente, come mia madre. Aveva i capelli biondi. Aprii ancora il lenzuolo che si friava. I suoi abiti. Quelli che portava. La camicia da bianca era divenuta per il tempo color avorio; la cravatta era un morbido nastro nero velato come da finissima polvere. In fretta friai ancora il lenzuolo per vedere il petto. La giacca era di velluto, manteneva la grana marrone. E qui c'è una viltà: il becchino, vedendo Alfeo, era ammutolito. Volle rifarsi. Alfeo era per me una cosa viva, un uomo, mio zio. I suoi occhi erano aperti; la sua fronte; e quelli erano i suoi vestiti. Il becchino, dopo lo sbigottimento, si avvicinò, era pesante, poggiava in terra come un capitello. Io volevo fare il tranquillo. Ero invece travolto da Alfeo, dalla sua gioventú, aveva ventisette anni, era piú giovane di me. Per provare se la voce era ferma dissi: – È mummificato, deve essere leggero e tutto unito –; e affondai una mano nell'apertura, avvicinai la mano destra al collo di Alfeo con il proposito di soppesarlo per la testa e sentire se era rigido.

Troppi avvenimenti all'improvviso mi erano sopravvenuti: era morta mia madre, mi ero ammalato di una malattia sottile; ora Alfeo si presentava. Queste sono le scuse che porto. Ritrassi la mano che rimase nell'aria.

Il becchino, mentre io ancora tenevo la mano sospesa, prese il martello che il muratore aveva usato per rompere il muro; diceva: — Ma come! ma come! — affannando, e lo penetrò nello spacco dello zinco, mise a punta il martello, lo introdusse sotto il collo di Alfeo e tirò su. Io lasciai fare. Alfeo, rigido per la mummificazione, si alzò come un'asticella, per quella forza che gli feriva il collo. Allora mi risvegliai. Dissi al becchino che lasciasse stare. Mi ero lentamente avvicinato a lui come volessi aggredirlo. Egli tolse il martello e mi guardò sbigottito.

Ma intanto il cuscino fatto dalle zie mi aveva richiamato l'attenzione.

Infatti la testa di Alfeo riposava su un cuscino ricamato in casa dalle zie e a quella vista mi scordai d'un tratto del becchino. Il becchino tirando su la testa di Alfeo l'aveva messo in luce. La zia Virginia, la zia Anna, la zia Lisetta certamente avevano messo ad Alfeo, l'unico nipote, che aveva acceso speranze con la sua rapida avvocatura e i primi trionfi cittadini, il cuscino piú bello da loro ricamato; aveva il colore del velluto giallo quando si spenge ed occupava la testa della cassa dall'una all'altra parete, nel mezzo il capo di Alfeo vi aveva disegnato una dolce impronta. Alfeo ora vi poggiava di nuovo la testa e i suoi occhi aperti sembrava specchiassero quel suo mondo giovanile. Ma poiché il cuscino di nuovo era coperto dalla testa di Alfeo ritornai al becchino che continuava a guardarmi. Anche il muratore si era avvicinato e notai che mi osservava attento. Ebbi allora pudore dei miei sentimenti, mi dispiacevano quei due testimoni. E compii la seconda viltà, piú ignobile della prima. Io stesso ferii sulla guancia Alfeo, lo segnai con lo scalpello. Insomma avevo capito che ero troppo attento, che guardavo Alfeo come fosse vivo.

– È mummificato! – dissi come volessi trattare Alfeo come una cosa estranea, – sono solo muscoli e tendini! – Il panico dei ricordi mi precipitava. Con lo scalpello scesi con estrema velocità verso Alfeo, – Tendini! – riesclamai e già l'avevo sfiorato sulla guancia. Sulla guancia di Alfeo si era delineata una riga con i margini granulosi di una ferita bruna.

Alfeo era morto ed io l'avevo messo alla luce, tolto il lenzuolo del suo sonno gli avevo fatto udire le parole, sentire il profumo della campagna. Vidi quanto era sacra la morte. Avevo preso Alfeo, l'avevo alzato tra le parole, avevo scosso i suoi vestiti che lui aveva scelto, toccato, usato; io suo nipote che non conosceva, avevo aperto la sua bara, scoperto il suo volto, guardato lui Alfeo che era fino allora una favola, una descrizione che mia madre faceva quando ero bambino.

Mi allontanai qualche passo. Feci coi passi una danza come disegnassi sul pavimento una breve ellisse. Fui di nuovo da Alfeo. So quasi tutto dei Biassoli. Tutto mi risorgeva. Correva verso di me un brusio come di lontano tumulto, dalle strade venivano verso di me le vicende passate.

Ma io ero venuto per trovare al cimitero un posto per mia madre. Il giovane muratore in piedi, addossato a una lapide, era come assorto; il becchino guardava con gli occhi incerti. Mi allontanai di nuovo da Alfeo. Mi allontanai di qualche metro; mi tolsi dalla vista di quei due; mi sedetti su uno scalino che c'era dietro un muricciolo; mi strinsi le mani.

Mi alzai e ritornai da Alfeo. Mi ripresentai a quei due assai tranquillo.

Dissi: – Ora cosa facciamo?

Il muratore disse: – Avverto lo stagnino che venga a richiudere lo zinco e lo rimettiamo dentro.

– Sí, – aggiunsi, – e dobbiamo inchiodare la cassa e rifare il marmo con la stessa iscrizione di prima, – e ci fu silenzio. Ora non c'era che da ritornare al paese. Dovevo avvertire i miei familiari che avevo trovato Alfeo. Ci avviammo. Lasciai che i due mi precedessero. Al cancello del cimitero già mi erano avanti diversi passi; li salutai con la mano.

Prima di abbandonare Alfeo avevo ravvicinato i margini dello zinco, la finestra che avevo fatto, e sopra avevo rimesso i due tavoloni che formavano il coperchio della cassa. Ora Alfeo poteva essere visto solo dalle fessure.

Questo di lasciare Alfeo allo scoperto, alla luce del mondo, sí che altri lo avrebbero potuto vedere, mi dava come una febbre. La distanza del cimitero dal paese era di circa un chilometro. Avrei voluto affrettare il passo per portare prima la notizia alle mie sorelle che Alfeo era al cimitero, giovane, con i capelli biondi. Ripetutamente pensai che gioia sarebbe stata per mia madre rivedere suo fratello, rivederlo come quarant'anni prima, quando per diverse ragioni lei non poté correre a lui quando era per morire e seppe della sua morte che già era dietro la lastra di marmo che io avevo fatto rompere.

Mentre camminavo, Alfeo si ripresentò con lo stesso sorriso che un momento fa avevo visto, con quel sorriso cosí malinconico e consapevole che ebbe per tutto il pranzo al matrimonio di mia madre. Al pranzo, alla scena finale, all'addio di quella famiglia che viveva da diversi secoli, e poi si diradò, fino a spengersi il giorno prima con mia madre, con mia madre che dei Biassoli era rimasta l'ultima.

Camminando, rivedevo. I fatti che mia madre mi aveva narrato erano divenuti visione, incontravo Oscare nella piazzetta, il paesaggio della Magra, il signor Ippolito, la chiesa di San Michele, mia madre fanciulla che corre tornando dalla funzione, la zia Lisetta, la zia Virginia, la zia Anna caparbia contro la sua tragedia, Alfeo piú bello per la morte che gli è vicina, e tutti, tutti, che erano là, al cimitero di Vezzano Ligure. Ora anche mia madre era morta, i Biassoli erano finiti, la loro casa adesso era abitata da persone con altri nomi. I fatti, i dolori, le gioie erano scomparse. Ancora, fino al giorno prima, c'era mia madre a ricordarli tutti, a farli vivi.

Ormai era venuto il tempo che nessuno dei Biassoli respirava tra gli uomini; ormai non potevo arrivare a casa di mia madre e dirle: – C'è Alfeo là, come vivo, vieni, corriamo, tuo fratello.

La strada che dal cimitero arriva al paese e alla casa dei Biassoli è appena un chilometro e già mi trovai nella piccola piazza sassosa dove il signor Virginio soleva battere il bastone ferrato.

Fermo davanti alla casa, tardavo a battere il battente di ferro infisso nella porta verde screpolata, tardavo a batterlo tre volte, come si soleva fare; non avevo forza di farlo benché la ragione mi consigliasse che gli indugi erano inutili. Quando ogni anno, per tanti anni, ritornavo in campagna a Vezzano Ligure, e arrivato a quella casa con fretta battevo tre volte, mia madre, che mi aspettava, subito apriva la finestra e la vedevo bianca, con quel sorriso che mi faceva d'un tratto innocente, udivo la sua voce che diceva il mio nome ed ero consolato di ogni cosa triste e minacciosa del mio tempo. Ma ora i Biassoli erano tutti morti, anche mia madre, e mentre pensavo a lei e rifuggivo con paura dai suoi ricordi, di nuovo mi si presentavano tutti i Biassoli, su quella piazzetta in quel momento vuota sorgevano le loro figure e io invece volevo avvertire le mie sorelle che se volevano vedere Alfeo, che non avevano mai visto, era là al cimitero, fuori, al sole, vivo, che sorrideva, aveva i capelli biondi, era giovane, era il fratello di nostra madre. Presi in mano quel battente per battere qualche rumore, ma lo riposai. Girai intorno alla casa, passai « sotto la volta », montai le scale ripidissime, mai toccate dal sole, non avevo alcun diritto, i Biassoli erano tutti morti, non avevo alcun diritto, finché era viva mia madre lei avrebbe potuto avvertire che ero suo figlio; il tempo ormai era venuto di entrare tacitamente in quella casa per la via seminascosta.

E mentre salivo le scale « sotto la volta », di nuovo tutte le storie passate si mossero a inseguirmi, a circondarmi, ad alzarsi davanti a me.

Intanto ero arrivato dentro la casa di mia madre, la quale era laggiú nella sua stanza, tra i ceri accesi, immobile, fredda.

Non ci volevo pensare, non sapevo che era morta, ogni tanto mi spaventavo a comprenderlo. Insieme una commovente felicità mi era venuta perché ero per dare alle mie sorelle la notizia che laggiú, vicino agli ulivi, al cimitero di Vezzano Ligure, c'era Alfeo. – C'è Alfeo, – dissi, – che è come vivo, è biondo, ha i capelli lucidi e leggeri come se li fosse un momento fa pettinati, sorride, ha gli occhi marroni come la mamma.

Poi arrivai in camera di mia madre e le sorelle mi inseguivano di domande. Arrivai davanti a mia madre.

Un tempo il dolore mi si trasformava in una cupa ira, oggi mi nascono dei pensieri come un paesaggio che ha dei rapporti, il cielo, le piante, le case, un paesaggio che è immobile, nulla si può muovere e tutto vive. Ma io avrei voluto dire a mia madre che c'era Alfeo, rimasto di ventisette anni, come lei l'aveva lasciato, avrei voluto dirle questo perché una grande festa, una felicità, ci prendesse tutti e due, avrei voluto che rivivesse pochi minuti in modo che gliel'avessi potuto dire, e le parole mi giravano come una ruota nel petto.

Allora me ne andai, e subito uscito mi trovai solo davanti a una finestra che ha di fronte le sbarre rugginose della biblioteca, e di nuovo, di nuovo, come una matematica ossessione, tornarono i Biassoli, ripresero a vivere davanti a me, c'erano tutti, tutti loro che erano chiusi, che dormivano, nell'oscuro oblio, solo Alfeo, Alfeo no, in quel momento vedeva il sole, per colpa mia, era alla luce, in quel momento filtrava il sole dalla fessura che io avevo fatto, era scoperto, era tra i viventi, tra chi respira, avevo fatto un sacrilegio, una cosa mostruosa, dovevo presto richiuderlo, mettere la cassa nel loculo, far buio, tappare, dormire, chiudere, chiudere, che tutti erano morti i Biassoli, immobili, erano solo ricordi che nessuno poteva piú narrare, nessuno, neppure mia madre, nessuno, neppure io anche se mi fuggivano dalla mente come se da uno specchio partisse la vita. Pensai con insistenza, con insistenza, che mosche verdi, pesanti, col muso pungente, volassero sopra la cassa di Alfeo che avevo lasciato alla luce, si calassero verso la fessura, arrivassero al suo viso.

Corsi al cimitero, presi lo stagnino, il muratore, era mezzogiorno, erano a mangiare, furono stupiti, ma li pregai, scesero con me tra gli ulivi, verso Alfeo. Le mie sorelle c'erano già, lo guardavano, esclamavano, era una festa, come un'apparizione, era giovane, nostra madre ce ne aveva sempre parlato, cosí lo aveva descritto, lo trovavamo vivo, come era nella nostra infanzia. Ma io dissi che bastava; lo avremmo rimesso come prima. Lo stagnino stava già bruciando il metallo. Un segreto mi perseguitava: Alfeo era stato ferito da me, sulla guancia; rivedevo quella riga che gli avevo fatto, bruna.

— Ora lo rimettiamo, — dissi. Ci avevo pensato. Aprendo il lenzuolo che copriva il suo volto avevo con lo scalpello sfarinata la tela. Cosí il volto di Alfeo era rimasto nudo. Ci avevo pensato. Avevo preso un fazzoletto di mia madre, grande, bruno, con delle righe pallide, che si metteva in testa quando andava in chiesa, con quello avrei avvolto ora il viso di Alfeo. Cercavo di allontanare ciò che mi si affacciava insistente come una ripetuta eco: che il fazzoletto di mia madre gli sussurrasse tutto, con calma narrasse ad Alfeo di tutti noi, di sua sorella, della sua vita, dei suoi figli, di Vezzano, della chiesa, della casa, della campagna. Cercavo di mandar via queste fantasie, che tornavano, da lontano, e di nuovo mi invadevano. Lo stagnino era già pronto e mi guardava. Io lentamente avvolsi il volto di Alfeo col fazzoletto di mia madre, lo coprii con attenzione, che fosse come prima, e non mi riusciva di allontanare il pensiero che una grande novità fosse venuta per Alfeo, un'ondata prepotente di vita nella sua morte.